네, 저
생 리
하는데요?

오윤주

어느 페미니스트의
생리 일기

들어가며

　어느 생리하는 날, 나는 평소와 다름없이 팬티에서 일회용 생리대를 뜯어내 휴지로 돌돌 말고 있었다. 생리대에서는 꿉꿉한 냄새가 났다. 그 짧은 순간, 생리혈이 다리를 타고 주르륵 흘러내렸다. 다급히 휴지를 뜯어 피를 닦아내고 새로운 생리대를 얼른 팬티에 붙였다. 그러다가 엄지손가락에 생리혈이 조금 묻었다. 짜증이 났다. 신경질적으로 세면대에서 손을 씻었다. 그때였다. 문득 어떤 생각 하나가 뇌리를 스쳤다. 그것은 생각이라기보다도 차라리 육감이나 예감에 가까웠는데, 바로 나의 생리를 사랑하지 않는 한 내 몸을 온전히 사랑하지 못할 것이며, 내 몸을 사랑하지 않는 한 나를 결코 진실로 사랑할 수 없으리라는 예감이었다. 그것은 불길한 예감이면서 동시에 희망이었는데, 나의 생리를 사랑할 수만 있다면 비로소 나를 깊게 이해하고 사랑할 수 있으리라는 예감이기도 했기 때문이다. 육체로부터 오소소 솟아난 그 감각은 곧 단단한 확신이 되었고, 나는 기어이 이 책을 쓰기에 이르렀다.

주변 사람들에게 이 책을 쓰겠다고 처음 말했을 때 반응은 다들 비슷비슷했다. 뜨뜻미지근한 반응이거나 의아함에 질문을 퍼부었다. "생리에 대해 쓴다고?" "왜?" "뭐라고 쓸 건데?" "쓸 이야기가 있어?" 같은 질문들을 나는 한마디 대답으로 일축하곤 했다.

단순히 생리에 관한 이야기만은 아니야.

책을 쓰고 있다고 말하면 무엇에 대해 쓰냐고 묻는 친구들에게, 나는 뭐라고 대답해야 할지 잘 몰랐다. 분명 이 책은 생리에 대한 이야기였지만, 단순히 생리에 대한 이야기만도 아니었다.

최근 아이들을 가르치는 아르바이트를 하고 있다. 수업 시간을 기다리며 책을 가끔 꺼내 읽는데, 그때 하필 김보람 감독의 『생리 공감』을 읽고 있었고, 별로 안 친한 남자 아르바이트생이 무슨 책을 읽냐고 물어보았다. 사실대로 말해야 할까? 나는 잠시 망설이다 대답했다.

생리 공감이요.

네?

생리 공감이라는 책이요.

......아, '그 생리'요?

네.

....

설마 '그 생리'를 아무렇지 않게 언급하리라고는 상상조
차 하지 않았던 탓일까. 남자 아르바이트생은 순간 굳어서
말을 잃었다. 이런 어색한 순간들이 참 많았다. 굳이 내가
먼저 생리에 대해 쓰고 있다고 말을 꺼내지 않아도, 거짓말
하지 않으려면 이실직고해야 할 때도 많았다. 글을 쓰고 있
는 내 곁에 와서는 "뭐 쓰세요?"라고 물어보는 사람들에게
처음에는 그냥 과제를 한다는 식으로 어물쩍 넘어갔지만,
그럼에도 집요하게 물어보거나 미심쩍은 눈빛을 보내는 사
람들도 있었다. 나중에는 '생리를 생리라고 말하자'는 글을
쓰면서, 순간의 어색함을 피하려고 얼버무리는 내가 싫어
똑바로 말하게 되었다.

생리에 대해 쓰고 있어요.

그럴 때마다 마치 이 세상에 결코 존재해서는 안 되는 말을 내뱉은 것처럼 분위기가 싸늘하게 굳어졌지만, 나는 그런 분위기는 전혀 읽을 줄 모른다는 듯 천연하게 말을 이어가곤 했다. 혹은 생리통 때문에 진통제를 입에 간신히 욱여넣는 나에게 주위 사람들이 왜 그러냐고 물을 때,

생리통 때문에요.

라고 대답하면 일순간 심장을 짓누르는 차가운 정적이 찾아왔다. 이런 모든 일련의 사건들이 참 이상했다.

이 책을 쓰면서도 마치 누가 내 입을 틀어막고 있기라도 한 듯, 혀끝을 맴돌던 말들이 결국 언어가 되지 못하고 목구멍 뒤로 삼켜졌던 경우가 허다했다. 우리 사회의 월경 터부는 저 멀리 있는 게 아니라 바로 이 순간, 내 앞에, 내 입술 앞에 단단히 버티고 서 있었다. 학교에서, 직장에서, 친한 친구 무리에서, 수업 시간에 내가 생리를 생리라고 말하지 못하게끔 내 입을 걸어 잠갔다. 이건 분명 부당했다. 여

성을 침묵시키는 관행이었다. 아주 오래도록 여성이 자신의 행동거지와 말과 시선과 제스처를 극도로 조심하고 검열하고 의심하고 부끄러워하도록 만들어왔던, 평생에 걸쳐 은근히 주입된 아주 질 나쁜 관행.

언젠가부터 나는 월경 터부가 단순히 생리만을 의미하는 것이 아니라고 생각했다. 월경 터부와 성폭력, 가정폭력, 낙태죄, 독박 육아, 유리 천장, 성별 임금 격차, 성적 대상화, 불법 촬영, 남성 중심 포르노, 리벤지 포르노, 여성을 대상으로 한 강력범죄 등 수없이 많은 문제들을 멀리 떨어진, 전혀 다른 구획된 영역으로 볼 수 없었다. 이것들은 모두 여성혐오라는 거대한 구조 안에서 틈을 벌리기 힘들 정도로 촘촘하게 엮여 있다.

내 앞에 버티고 서 있었던 그 거대한 장벽은, 내가 성희롱을 당했을 때도 바로 반격하지 못하고 입술을 꾹 다물도록 만들었고, 직장에서 친구들 사이에서 학교에서 집에서 성차별적인 말을 들었을 때 바로 의문을 제기하지 못하도록 침묵시켰으며, 명백한 성폭력을 당했을 때도 이 사실을 누구에게도 알리지 못하고 나에게 잘못이 있는 것은 아닌지 먼저 의심하도록 만들었고, 길거리에서 술집에서 클럽에서 캣콜링하고 시선 강간하고 시비 거는 남자들에게 불같이 화내지 못하고 입을 다문 채 꾹 참고 지나가도록 만들었다.

월경 터부 사회에서 자라난 여성은 성인이 되어서도 여전히 자기 몸에 대해 잘 모르고, 모르기에 혐오하고 부정하게 된다. 우리에게는 생리를 긍정하는 새로운 교육이 필요하다. 생리 긍정을 통해 여성은 자기 몸을 긍정하고, 성기를 긍정하고, 여성성을 긍정하고, 모든 감정과 욕망을 긍정하며, 따라서 자기 자신을 긍정하게 될 것이다. 생리 해방은 여성해방과 멀리 떨어져 있는 의제가 아니며 오히려 구분하기 힘들 정도로 촘촘히 엮여 있어 무엇이 먼저이고 나중인지조차 확언할 수 없다. 그렇기에 이 책은 생리에 관한 이야기만은 아니다. 우리는 무엇이 생리를 억압해왔으며 내 몸을 사랑하지 못하도록 막아왔는지 알아야 한다. 이 사회 기저에, 그리고 내 안에 뿌리박힌 여성혐오를 파헤쳐 눈앞에 두어야 한다. 그것을 직시하며 조금씩 파괴해나가야 한다. 동시에 찬찬히 내 몸을 들여다보고, 나를 존중하고 사랑하는 법을 배워야 한다. 내가 변할 때 이 사회가 변할 것이다. 나는 나를 믿는다.

　사실 이 책을 처음 쓸 때 가장 고심했던 부분은 용어 선택이었다. '생리'가 '월경'을 완곡하게 표현한 용어이기 때문에 지양해야 한다는 점은 꾸준히 지적되어 왔다. 최근 들어서는 '월경'을 '맑은 피'라는 의미의 '정혈'이라는 용어로 대체하자는 움직임도 일고 있다. 새로운 여성의 언어를 개발하려는 노력은 유의미한 운동이며 나 역시 '정혈'이라는 새롭고 멋진 표현에 감격했다.

　하지만 '생리'조차 자유롭게 쓰지 못해 '그 날'이나 '마법' 따위의 다양한 대체 용어들이 생겨난 것을 보면, '생리'를 '생리'라고 호명할 힘을 되찾는 것 역시 중요한 논의 중 하나다. 또한 '생리'라는 표현은 지난 n년간 경험해온 나의 일상과 더욱 밀접하게 연관된 용어이기도 하다. 나와 내 친구들이 오랫동안 실제로 써왔던 표현이기 때문이다. 그래서 개인적인 경험을 이야기할 때는 '월경'보다는 '생리'라는 용어가 몰입하기에 더 편하다. 따라서 이 책에서는 맥락에 따라 용어를 자유롭게 선택하여 사용했다.

차례

생리
축하합니다

제1장

네, 저 생리하는데요?

강렬했던 첫인상

아주 오래된 기억 속, 엄마의 생리혈을 본 적이 있다. 볕이 잘 드는 오후에 엄마와 함께 거실에 앉아 주전부리를 까먹고 있었는데, 갑자기 엄마가 당황하더니 급히 화장실로 들어갔다. 엄마가 앉아 있던 자리에 붉은 피가 고여 있었다. 마루에 도장처럼 찍힌 검붉은 얼룩. 어린 나는 그게 뭔지 몰랐지만 피라는 건 알았다. 엄마가 피를 흘렸다는 사실이 걱정되어 잠시 후 돌아온 엄마에게 물어보았다.

엄마, 왜 피 났어?
아무것도 아니야.
이거 피 아니야? 엄마 피 났잖아.
피 아니야. 넌 아직 몰라도 돼.

엄마는 물티슈로 핏자국을 문질러 닦으며 내 궁금증을 일축했다. 엄마의 얼굴에 서려 있던 당혹스러움과 약간의 민망함이 섞인 웃음, "몰라도 돼"라는 말로 내 질문들을 단박에 차단해버렸던 그날이 아직도 생생하게 기억난다. 태어나서 처음으로 그렇게 많은 양의 피를 눈앞에서 봐서였을까. 핏자국은 지워졌지만, 기억 속에 강렬하게 박힌 생리혈의 첫인상은 지워지지 않았다.

그날 엄마가 "몰라도 돼"라는 말 대신, 날 앉혀두고 생리가 무엇인지 찬찬히 설명해줬다면 어땠을까? 엄마가 방금 흘린 피는 생리혈이라고 해. 이 피는 여성의 몸에서 한 달에 한 번씩 흐르는 멋진 피야. 이 피가 너를 만들고 네가 이 세상에 나오도록 했어. 너는 이 피를 수치스러워하거나 부끄러워하면 안 돼. 가끔 이렇게 피가 샐 때도 있지만, 괜찮아. 흘린 피는 닦으면 되고, 피 얼룩은 세탁하면 돼. 별거 아니야. 여성이라면 누구나 경험하게 되는 자연스럽고 평범한 몸의 운동이야. 너도 곧 엄마처럼 피를 흘리게 되는 날이 올 거야. 그때가 되면 너는 피 흘리는 네 몸을 자랑스러워 해야 해. 그건 아주 대단하고 멋진 일이거든. 그러나 매달마다 피 흘리는 일이 힘들고 귀찮다면, 넌 얼마든지 생리를 그만하기로 선택할 수도 있어. 네 몸은 네 것이니까.

엄마가 내게 이렇게 말해줬다면 어땠을까?

그랬다면 나는 아무리 크고 두꺼운 패드를 써도 가끔씩 팬티에, 이불보에, 바지에 묻곤 했던 핏자국에 죄책감과 자기혐오를 느끼거나, 그날 엄마가 나에게 그랬듯이 생리는 숨겨야 하는 것으로 자연스럽게 인식하거나, 피 흘리는 나의 성기가 남사스러워서 제대로 들여다볼 생각도 하지 못한 채 미지의 영역으로만 남겨두지 않았을지도 모른다. 몇 달씩 생리를 안 하거나 혹은 한 달에 몇 번씩 생리를 하거나 생리 주기와 생리혈의 양이 뒤죽박죽이어도 크게 신경 쓰지 않고, 나와 내 성기 사이의 대화를 크고 하얀 생리대로 차단해버리는 일은 없었을지도 모른다.

누구도 내게 생리를 숨기고 부끄러워하라고 강요한 적은 없었지만, 나는 자연스레 여자애들에게만 '그 날'을 속삭였고 아무도 보지 못하게 생리대를 숨겨서 화장실에 들락거렸으며, 어쩌다 팬티와 침대에 피가 새기라도 하면 죄책감에 자신을 나무랐고, 생리통으로 고통스러워하는 나에게 남자애들이 왜 그러냐고 물으면 민망한 웃음을 지으며 "몰라도 돼"라고 말했다. 그렇게 친구들과 그리고 나 자신과 생리에 관해 이야기할 기회는 차단되었다.

그날 엄마가 나에게 그러했듯이.

　다섯 살 터울의 여동생이 어느 정도 머리가 클 때까지만
해도, 엄마는 늘 우리의 성기를 '꼬추'라고 불렀다. 씻지 않
고 그대로 잠들고 싶어 침대에서 어물쩍거리는 우리를 밤마
다 일으켜 화장실로 보내며 꼭 "이빨 닦고 자. 그리고 꼬추
도 닦아!"라고 다그치곤 했다. 아래가 간지럽다며 칭얼거리
는 동생의 다리를 붙잡아 벌리며 장난스럽게 "어디 봐, 꼬
추 보자"라고 놀려대기도 했다. 그래서 나는 그게 그냥 꼬
추인 줄 알았다. 엄마가 하도 귀엽고 가벼운 어감으로 그 단
어를 남발했기에 그게 남자의 성기를 이르는 말일 것이라고
는 상상도 해보지 못했다. 나중에 머리가 크고, 고추가 무
엇인지 알게 되고 나서야 나는 가끔 그때의 엄마에게 질문
을 던져보고는 했다. 엄마, 왜 그걸 꼬추라고 불렀어? 우린
남자가 아닌데. 그 후에는 나에게 질문을 던져보는 것이었
다. 그럼 엄마가 그걸 뭐라고 불렀어야 할까? 보지? 잠지?
성기? 음부? 거기? 사전에 검색해보니 '보지'는 '음부'의 비
속한 표현이라고 설명되어 있었다. '잠지'는 '보지'의 방언
이거나 남자아이의 성기를 완곡히 이르는 말이다. '음부'
는 여성과 남성의 생식기관을 통칭하는 말이고, '성기' 역

시 마찬가지다. 따라서 '음부'나 '성기'라는 말에는 여성의 생식기만을 가리키는 특정성이 없다. 하지만 그렇다고 어린아이들에게 '보지'나 '잠지'와 같은 말을 가르쳐줘도 되는 걸까? 왜 그런 단어들에서는 뭔가 상스럽고 잘못된 것 같다는 불온한 느낌이 드는 걸까? 고추 같은 단어는 별로 그렇게 느껴지지 않는데. 왜 '음경'이나 '고추'처럼, 여성의 생식기를 특정하여 이르되 속되지 않은 말은 없을까? 왜 '남근'이나 '양물'처럼, 여성의 생식기를 선망하듯 부르는 말은 없을까? 고추에 대응하는 언어는 없을까? 여성의 생식기를 비하하지 않고 성적인 의미를 담지 않고 일상적으로 칭할 수 있는 언어는 없을까? 여자아이들에게 알려줄 수 있는 올바른 표현은 대체 무엇일까?

혹은, 여성의 생식기를 칭하는 언어들에만 그러한 불온한 느낌이 들러붙은 것일까?

*

엄마, 나 자꾸 팬티에 뭐가 묻어.

주말 오후. 나와 단짝 친구, 그리고 우리 엄마와 친구의

엄마. 어릴 적 이렇게 넷이서 자주 놀러 다니곤 했다. 점심으로 기가 막히는 만둣국과 감자전을 해치우고 카페로 향하는 길이었다. 따사로운 햇살과 푸른 나무 그림자가 넘실거리는 평화로운 오후였다. 그때 갑자기 친구가 말했다. 팬티에 자꾸 뭐가 묻는다고. 당황한 아줌마는 가까운 상가의 공중화장실로 친구를 데리고 갔다. 아무도 없었기에 아줌마는 화장실 문도 활짝 열어둔 채 그 애의 바지와 팬티를 벗겨 들여다보았다. 어린 나는 그 모습을 물끄러미 지켜보며 그들의 대화를 귀담아들었다.

이게 뭐야, 엄마? 오줌이야?

아니야, 냉이네.

냉?

그래. 괜찮아. 원래 여기서는 이것저것 많이 나오는 거야.

그래도 느낌이 이상해.

이제 곧 생리도 하겠네. 생리 준비해야겠다.

그때 나는 아직 냉도 생리도 무엇인지 모를 때였다. 하지만 잊기 힘든 그날의 기억 역시 나에게 강렬한 인상을 남겼다. 여자의 성기에서는 오줌 말고 다른 것도 나오는구나. 막연히 이렇게 생각했다. 하지만 그 경험 덕분인지, 나중에 내가 냉을 경험하게 되었을 때 크게 당황하지 않을 수 있었다. 아, 그때 내 친구가 그랬던 것처럼 나한테서도 냉이라는 게 나오는 거구나. 그냥 이렇게 생각하고 대수롭지 않게 넘겼다. 이유를 알 수 없이 팬티가 축축하게 젖어 있어도, 그냥 원래 그런 거겠거니 여겼다. 그리고 아줌마가 말했던 "생리 준비"가 어떤 준비인지는 몰라도, 나도 막연히 생각했을 뿐이다. 나도 그럼 곧 생리란 걸 하겠구나. 당황하지 말아야지.

생리 축하합니다

초경의 경험은 대체로 쉽게 잊을 수 없는 강렬한 기억으로 남는다. 하지만 나는 예외였나 보다. 나에게는 초경의 기억이 남아 있지 않다. 아무런 기억이 남아 있지 않은 것을 보면 별다른 축하도, 별다른 교육도 없이 그냥 지나가버리지 않았을까? 또래보다 초경이 늦었던 편이어서 더 아무렇지 않게 넘길 수 있었는지도 모른다. 열다섯 살쯤 초경을 치렀던 것으로 기억하는데, 그때는 주위에 이미 생리를 하고 있던 친구들이 많아서 그게 뭔지 대충 알고 있었고, 그래서 별생각 없이 받아들였던 것 같다.

나의 초경보다는 그즈음 한창 유행했던 성장 드라마 〈반올림〉 시리즈가 더 기억에 남는다. 주말 아침 일찍 일어나서 꼭 재방송을 챙겨보곤 했었는데, 당시 여주인공의 초경 에피소드가 화제가 된 적이 있었다. 가족들이 첫 생리를 한 여주인공을 패밀리 레스토랑에 데리고 가서는 직원들을 동원해 초대형 케이크와 함께 "생리 축하합니다"라는 노래를 함께 불러주고, 여주인공은 얼굴이 시뻘겋게 되어 창피해하는 에피소드다. 그때 나는 그 장면을 보며 깔깔대고 웃었지만, 한편으로는 왜 나의 초경 때는 가족들이 저렇게 축하해주지 않았는지 의문이 생겼다. (조금 억울한 마음도 들었다.) 또한 여주인공은 왜 저렇게 창피해 하는지에 대해서도 의문이 생겼다. 난 그때까지만 해도 생리가 창피한 일이라는 생각을 딱히 해본 적이 없었는데, 그 에피소드를 보고 난 후 생리에 대해 공공연하게 발설하는 것은 부끄러운 일이라는 걸 알게 되었다.

십여 년이 흐른 지금까지도 많은 여성에게는 초경의 경험이 창피하고 당혹스러운 것으로 남아 있다. 나의 친구들에게도 마찬가지로.

*

A 나의 초경은 무지 아팠던 기억밖에는 나지 않는다. 초등학교 5학년 때였나. 초반에는 배탈이 난 것처럼 아랫배가 슬슬 아팠는데, 일반적인 복통과는 다른 기분이어서 의아해하던 중 성기에서 뭔가 나온 듯한 이상한 느낌이 들었다. 쉬는 시간에 화장실로 달려가 확인했더니 속옷에 피가 묻어

있었다. 어떻게 처리했는지는 잘 기억이 나지 않는다. 다만
아주 아프고 당황스러웠던 감각만이 어렴풋이 남아 있을 뿐
이다.

B 씻으려고 옷을 벗었는데 팬티에 피가 묻어 있고 성기
에서 걸쭉하고 붉은 액체 덩어리가 떨어져서 깜짝 놀랐던
기억이 난다. 이미 학교나 엄마를 통해 생리가 무엇인지 알
고 있었기 때문에 크게 당황하지는 않았다. '아, 이게 생리
구나!' 싶었지만 기분이 조금 이상하고 얼떨떨하기도 했다.
엄마에게 말하니 생리대를 사주셨다.

C 초경은 초등학교 때 갔던 캠프 도중에 치렀고, 아무런
준비가 되어 있지 않아 생리용품 없이 첫 월경을 지냈다. 생
리한다고 말하면 가족들이 파티하자고 할까봐 엄마에게 알
리지 않았다. 그렇게 생리용품 없이 혼자서 월경 기간을 몇
번 보내다, 세 달쯤 지나자 엄마가 빨래하기 힘드니까 생리
하면 말해달라고 했다. 그렇게 시간이 많이 지나서야 엄마
에게 말하게 되었다.

D 나는 왠지 모르게 부끄러워 초경을 한 사실을 엄마에

게 말하지 않고 숨겼는데, 언니가 이야기해서 엄마가 알게 되었다. 그때 엄마가 축하해주며 선물해준 꽃다발이 너무 싫고 부끄러웠던 기억이 난다.

E 그때 나는 피터팬 증후군을 앓고 있을 때라 자라나는 것이 끔찍하게도 싫었다. 내 몸이 자라나는 게 싫었다. 가슴이 커지는 것도, 털이 나는 것도, 점점 키가 커지는 것도 전부. 어른이 되고 싶지 않았다. 그런데 그 와중에 생리가 터지고 만 것이다. 엄마아빠와 친척들이 축하해주는데도 부끄럽고 화가 나기만 할 뿐, 전혀 고맙지 않았다. 생리를 한다는 건 임신할 수 있다는 거잖아요. 나는 어른이 되기 싫다고요! 속으로 이렇게 소리쳤다.

F 초경 때 가족들이 파티를 열어주었다. 민망하고 부끄러웠지만, 동시에 뿌듯하기도 했다. 엄마는 내게 '진짜 여자'가 된 것을 축하한다고 말해주며 어떻게 생리에 대비해야 하는지 설명해주었고 내가 앞으로 조심해야 할 것들을 줄줄이 나열했다. 초경과 함께 갑자기 큰 짐과 의무가 어깨에 얹힌 기분이었다.

G 매우 아프고 공포스러운 기억으로 남아 있다. 생리대가 있었지만 어떻게 사용해야 하는지 잘 몰랐다. 바지에 생리혈이 묻은 여자아이를 같은 반 남자아이들이 놀리는 모습을 본 적이 있었기 때문에, 그런 끔찍한 상황만은 피하고 싶었다. 기분이 이상했고, 혼란스러웠으며, 왠지 모르게 화가 치밀었다.

H 첫 생리를 했을 때 난 기뻤다. 내가 자라나고 있다고 느꼈기 때문이다. 엄마는 이모들과 할머니를 모두 불러모아 나의 초경을 함께 축하해주었다. 그때 나는 마치 오스카상이라도 받은 것처럼 기분이 날아갈 것 같았다. 순진하기 짝이 없었다. 그때가 생리와 관련된 경험 중 유일하게 긍정적인 기억이다.

*

친구들이 경험한 초경은 각자 다르면서도 비슷했다. 나는 인터뷰를 통해 초경의 경험이 그들의 국적에 따라 꽤나 달라진다는 사실을 알 수 있었다. 한국에 사는 친구들은 초경을 축하받지 못했거나, 축하받더라도 부끄러워 했으며,

숨기고 싶어했던 경우가 많았다. 반면 외국에 사는 친구들은 초경을 축하받거나 평범하고 자연스럽게 넘어간 경우가 많았다. 초경의 경험은 여자아이가 훗날 생리와 자신의 몸을 받아들이는 방식에 큰 영향을 끼치므로 매우 중요하다.

　나는 초경이 축하받아야 마땅한 일이라고 생각한다. 월경은 일상적이고 평범한 일이면서 동시에 멋지고 존중받아야 마땅한 일이다. 사실 여성만이 경험하는 월경은 아주 특별하다. 월경혈은 지구상 유일하게 생명을 잉태할 수 있는 피이며, 인간이 자연의 일부분이라는 사실을 매달마다 상기시키는 귀중한 손님이기도 하다. 때문에 우리는 여자아이들의 초경을 온 마음을 다해 축하하고 축복해주어야 한다. 여자아이가 초경을 시작할 때 주위 어른들이 어떻게 가르치고 인도하느냐에 따라 한 여성의 인생이 바뀔 수도 있다. 나는 초경이 여자아이에게 부담과 억압이 되지 않았으면 한다. 초경이 그 아이가 체험하는 여성혐오의 첫 시작이 아니었으면 한다. 처음에만 축하받고 그 이후로는 입 싹 닫게 되는 경험이 아니었으면 한다. 기쁘고 즐겁고 멋진 기억이길 바란다. 모두에게 축하받고 공공연하게 이야기할 수 있는 경험이길 바란다. 아이의 당혹스러움과 불안을 따뜻하게 다독여줄 어른이 주위에 있길 바란다. 피를 보고 놀랐

031

을 여자아이에게, 그건 부끄러운 일도 수치스러워 할 일도 아니라고 말해줄 어른이 있길 바란다. 엄마아빠와 깊은 대화를 나눌 수 있는 기회가 되길 바란다. 자기 몸을 샅샅이 들여다보고 이해하게 되는 첫걸음이 되길 바란다. 우리는 존경심과 사랑을 담아 여성의 초경과 완경을 축하해줄 필요가 있다. 그 축하가 일회성으로 그치지 않고, 우리의 삶 전체를 관통하는 보통의 태도가 되었으면 한다.

월경을 시작한다는 것은 정말 멋진 일이다! 나는 더 이상 "생리 축하합니다"라는 노래에 얼굴을 붉히지 않아도 되는 사회를 꿈꾼다. 지극히 당연하고 자연스러운 생리 축하의 관행이 자리 잡길 바란다. 월경은 정말 멋지고 자랑스러운 일이기 때문이다. 나는 진심으로 그렇게 믿는다. 그리고 이 책을 덮을 즈음에는 당신도 그렇게 믿게 될 것이다.

너 생리해?

초등학교 5학년 즈음, 가족이 다 같이 이사를 하면서 새로운 학교로 전학을 가게 되었다. 나는 새로운 학교에 빠르게 적응했고 곧 새로운 친구들도 사귀었다. 새로운 환경과 사람들 속에서 단 하나 변하지 않은 것이 있다면, 나의 키 번호였다. 그때는 학생들을 키 순서대로 줄 세우는 키 번호 제도가 있었고 나는 초등학교 육 년 내내 키 번호 1, 2번을 앞다투던 꼬맹이였다. 새로 전학 간 반에서도 내 키 번호는 1번이었다.

키가 작으면 대체로 손과 발을 포함한 대부분의 신체 부위가 작다. 몸 안의 장기 역시 몸집에 비례하여 작다. 포궁 높이도 어느 정도 키에 비례하기 때문에, 처음 생리컵을 주문할 때 질 입구에서 포궁 경부까지의 길이를 재보기 무섭다면 키가 몇 센티미터인지에 따라 생리컵 사이즈를 정하곤 한다.

나는 작은 키만큼 성장 속도도 남들보다 느린 편이었다.

생리 역시 남들보다 조금 늦은 나이에 시작했다. 열다섯 살에 초경을 치렀다면 평균이라고 이야기할 수도 있겠지만, 그 당시에도 여자아이들의 초경 시기가 점점 빨라진다며 호들갑을 떨던 뉴스들이 많았다. 실제로 내가 열다섯 살에 초경을 시작했을 때 주위에 생리를 안 하는 친구는 거의 없었던 걸로 기억한다. 또한 많은 사람들의 짐작과 달리, 어릴 적 나와 내 친구들은 생리를 부끄러워하거나 숨기려고 하지 않았다. 오히려 우리에게 생리는 남들보다 빨리 자라난 아이들만이 쟁취할 수 있었던 성숙의 징표이자 트로피였다.

너 생리해?

누군가가 지금 나에게 이렇게 묻는다면 난 어떤 생각을 할까. '저 새끼 돌았나?' 나뿐 아니라 백이면 백 이렇게 생각하겠지. 한국 사회에서 "너 생리해?"라는 워딩은 부정적인 의미로 낙인찍혔기 때문이다. 갈등 상황에서 여자에게 이렇게 물어보는 의도는 투명하다. 생리하는 여자는 예민하고 감정적으로 불안정하므로 지금 생리해서 나한테 이렇게 화내는 거냐고 물어보는 것이다. 여자가 화난 이유를 자기가 아니라 여자에게 돌리기 위해서. 내가 잘못한 게 아니라 네가 예민한 거라고 가스라이팅하면서.

이 발언이 끔찍한 이유는 월경하는 여성에 대한 완벽한 오해와 무지에서 비롯되었기 때문이다. 다달이 일주일 동안 피가 계속 흐른다면 예민하지 않을 생물은 이 세상에 없을 것이다. 월경 기간에 평소보다 예민해지는 것은 너무나도 당연한 순리다.

생리혈 때문에 온종일 생리대를 하고 있어야 하거나 탐폰 같은 걸 사용해야 하고, 하루에 네다섯 번은 화장실에 가서 갈아줘야 하고, 피가 샐까봐 밤에 잘 때도 야외 활동을 할 때도 여행을 가서도 계속 신경을 곤두세우고 있어야 한다면 어떨까? 매 맞는 고통에 무뎌질 수 없듯 생리의 고통과 불편함 역시 익숙해지지 않는다. 그런 상황에서 예민해지지 않는 사람이 있을까?

하지만 슬프게도 여자들은 웬만해서는 월경 기간에 그 사실을 드러내지 않는다. '생리해서 예민한 여자'가 되고 싶지 않기 때문이다. 평소보다 쉽게 짜증이 솟고 감정 제어가 잘 되지 않더라도 남들에게 티 내지 않기 위해 꾹 눌러 참는다. 그러나 예민해진 감각과 감정을 애써 억누를 수는 있어도, 신체적인 반응까지 모조리 통제할 수는 없다.

어떤 여성은 진통제로도 조절할 수 없는 생리통에 종일

집에서 괴로워하다가 병원에 실려간다. 어떤 여성은 두통이나 현기증, 빈혈, 관절통에 시달린다. 나는 생리 초반에 쉽게 지치고 내내 피곤하며 어지럼증을 겪는다. 하지만 생리 때문에 일을 그르친 적은 없다. 결코 용납되지 않는 상황이기 때문이다. 어떻게든 약을 욱여넣어 버텼다.

사실 대다수 여성이 가장 예민하고 우울해지는 시기는 생리할 때가 아니라 생리 전, 배란기 때다. 월경 전에는 호르몬 변화와 함께 감정 변화 역시 극심해지기 때문이다. 우울감이나 충동이 밀려오고 감정 제어가 잘 되지 않는다. 이러한 증상들을 PMS(월경 전 증후군, premenstrual syndrome)이라고 말하지만, 개인마다 경험은 천차만별이므로 절대 한 가지 증상으로 일괄할 수는 없다. 월경을 하는 듯 마는 듯 지나가는 여성도 있는 반면, PMS 기간에 극도로 예민해지지만 월경이 시작되면 괜찮아지는 여성, 혹은 월경 도중에 신경이 곤두서는 여성도 있을 테다. 여성 개인의 경험은 각자 다양하므로 월경이라는 경험을 근거로 여성 전체를 묶어 정의할 수는 없다.

"너 생리해?"라는 발언은 감정이 이성보다 열등하며, 여자는 남자보다 감정적인 동물이기 때문에 남자보다 열등하다는, 뭐 그런 근거도 없고 재미도 없는 월경을 근거로 한

구시대적인 편견이자 여성혐오다. 하지만 이러한 인식은 우리 사회 구석구석에 꽤 깊숙이 잠입해 있다. 예를 들면, 여자는 남자보다 감정적이기 때문에 회사 업무에 덜 적합하다는 것, 여자는 감정적이기 때문에 공적이거나 정치적인 업무에 적합하지 않다는 것, 혹은 여자가 남자보다 감정적이기 때문에 육아에 더 적합하다는 것 등이다.

*

어린 시절 나는 똑같은 단어를 완전히 다른 의미로 사용했다. 새로 전학 간 초등학교에서 친해진 친구는 열두 살이라고는 믿기지 않을 정도로 키가 컸고 성숙한 몸을 가지고 있었다. 키가 벌써 백육십 후반 정도였고 어깨와 골반이 떡 벌어져 있었다. 내 키는 그 친구의 가슴 정도까지밖에 오지 않았다. 키 순대로 줄을 설 때면 늘 그 친구는 맨 뒤쪽에, 나는 맨 앞에 섰다. 언제나 키 번호 1번이었던 나는 선망의 눈빛으로 그 친구를 올려다보며 물었다.

너는 어쩜 그렇게 키가 커? 부럽다.
원래 커. 난 항상 키가 컸어. 생리도 일찍 했거든.

언제 했는데?

열 살 때 처음 생리했어. 아마 내가 제일 빠를걸.

반에서 가장 빠르게 생리를 시작했다는 사실을 자랑스럽게 말하며 나를 내려다보던 그 눈빛. 그때 받았던 충격을 아직도 잊을 수 없다. 아직 생리가 정확히 무엇인지도 잘 모를 때였지만, 막연히 그건 어른들만 할 수 있는 것이라고 생각했고 그래서 그 친구가 대단해 보였다. 또래보다 빠르게 성숙한 아이만이 누릴 수 있는, 나는 미처 쟁취하지 못한 권력처럼 보이기까지 했다. 열 살 때부터 생리했다니, 난 아직 생리의 생 자도 구경을 못 해봤는데 말이다. 나는 그 아이의 눈빛이 내뿜던 당당함과 어른스러움에 풀이 죽어 내 자리로 돌아갔다. 나도 얼른 그 친구처럼 키가 쑥쑥 크고 어깨와 골반도 떡 벌어져서 생리하고 싶었다. 그리고 그 친구를 다시 찾아가 나도 생리를 시작했다고 자랑하고 싶었다.

그날 이후로 나는 친구들을 만나는 족족 물어보고 다녔다. 거침없이,

너 생리해?

라고. 그 질문은 말하자면 나보다 앞선 아이들과 그렇지 못한 아이들을 가르기 위한, 내가 반에서 가장 뒤쳐지는 것은 아니라는 확인을 위한 것이었다. 그때 나에게 생리란 남들보다 우월한 여성만이 쟁취할 수 있는 성숙의 지표 같은 것이었고, 자랑스럽게 떠벌리고 존경받을 만한 멋진 일이었다.

어릴 적 나에게 생리는 멋지고 대단한 사건이었다. 지금처럼 부끄러워하거나 숨겨야 할 일이 전혀 아니었다. 나는 이 기억을 부정하고 싶지 않다. 어릴 적 멋모르던 아이의 철없는 오해로 치부하고 싶지도 않다. 어쩌면 아직 아무런 사회적 편견과 혐오에 노출되지 않았던 순수한 그때의 기억이 옳을지도 모른다. 나는 "너 생리해?"라는 질문이 지금처럼 여성을 침묵시키고 멸시하는 언어가 아니라, 여성에게 힘을 실어주는 언어가 되기를 바란다. 생리가 우리에게 자랑스럽고 멋진 일이 되기를 바란다. 그 누가 뭐라고 떠들든.

환경호르몬

열다섯 즈음. 그날도 어김없이 맞벌이를 하던 부모님이 돌아오기 전이었고, 해가 뉘엿뉘엿 넘어가기 시작하는 저녁 여섯 시경, 나는 대충 컵라면으로 끼니를 때우며 빈 거실에서 혼자 텔레비전을 보고 있었다. 그 시간대에는 별로 재미난 프로그램이 없었다. 하릴없이 채널을 돌려대다, 딱히 흥미로워 보이지 않는 건강 교양 프로그램에서 리모컨을 멈추었다. 그 프로에서는 당시 꽤 화제가 되었던 환경호르몬에 대해 논하고 있었다. 환경호르몬은 몸속의 호르몬을 교란하는 유해한 물질이기 때문에 무조건 조심해야 한다고 했다. 그들은 '플라스틱 용기를 전자레인지에 돌리면 안 된다.' '전자레인지가 작동 중일 때는 최소한 1미터 정도의 안전거리를 유지해야 한다.' 등의 생활 정보를 알려주었고 마지막으로 '컵라면 용기에도 환경호르몬이 많다'는 사실을 알려주었다. 나는 먹고 있던 컵라면을 내려다보며 잠시 고민에 빠졌다. 그들이 알려준 정보대로라면 환경호르몬은 마치 절대로 몸에 들어와서는 안 되는 독극물 같았다. 그 후에 그들은 환경호르몬의 해악을 줄줄이 읊기 시작했는데, 남성의 정자 수를 줄인다거나 성호르몬의 교란을 일으켜 기형아 출생률을 높일 수 있다는 식의 무시무시한 이야기들이었다. 그러나 내 시선을 끌었던 것은 환경호르몬으로 인한 여유증에 대한 이야기였다. 환경호르몬에 지속해서 많이 노출된 남성들의 몸이 환경호르몬을 에스트로겐으로 착각해 여자처럼 커다란 가슴을 갖게 된다는 것이었다. 컵라면을 먹던 나는 일순간 시선을 빼앗겨 입을 벌린 채 마치 여자처럼 봉긋하게 부풀어 오른 남자의 유방을 멍하니 쳐다보았다. 지금 돌이켜보면 텔레비전에서 봉긋한 가슴이 모자이크되지 않은 것은 처음 봤던 것 같다. 그 충격적인 이미지는 내 무의식 속에 쾅 도장 찍히고 말았다.

그날 이후로, 나는 가끔 플라스틱 용기에 담긴 반찬을 전자레인지에 돌리며 그 앞에서 서성거리거나, 찬장에 처박힌 컵라면을 매일같이 꺼내 먹거나, 뜨거운 음식을 굳이 플라스틱 용기에 담아 먹곤 했다. 그때마다 터질 것처럼 부풀어 오른 남자의 유방이 눈앞에 어른거렸다. 얼마 안 가 그 짓은 곧 그만두었지만, 그 이미지가 나조차 이유를 알 수 없는 기이한 욕망을 내게 심어주었음은 분명했다.

어느 날은 인터넷 뉴스 한 구석에서 일회용 생리대에 환경호르몬이 많다는 이야기를 읽었다. 하지만 나는 그 이야기를 마치 못 본 것처럼 무시하고 넘어가거나, 혹은 무의식 중에 그건 딱히 문제될 일이 아니라고 여기고 넘어간 것 같았다. 어느 쪽이든, 나는 그러한 뉴스를 분명 언젠가 본 적이 있었지만 어떠한 분노도 의문도 품지 않고 지나쳤다. 문명 속에 사는 이상 환경호르몬은 어디에나 있을 터였고 그때쯤에는 사람들이 너무 과민 반응을 하는 것이 아닌가 싶기도 했다. 나조차 이유를 알 수 없었지만, 나는 그 뉴스를 보고도 이상하리만큼 침착하게 다음 기사를 클릭했다.

가끔 그날을 떠올리며 어렸던 나를 가만히 돌아보면, 지독하게 슬픈 기분이 들었고 내가 한없이 가여워지곤 했다. 물론 살면서 언제 어디서 어떻게 환경호르몬에 노출되며 살아왔는지는 알 수 없지만, 아무런 의심도 하지 않은 채 십 년 동안 매달마다 사용해온 일회용 생리대에는 분명 문제가 있었을 것이었다. 하지만 나는 그 사실을 그냥 지나쳤다. 대부분의 여자들이 그랬듯이. 환경호르몬이 내 가슴을 이토록 거추장스럽게 부풀게 했을까? 환경호르몬이 나에게 이 지옥 같은 생리 전 증후군과 생리통을 안겨주었을까? 환경호르몬이 나의 포궁을 서서히 잠식하여 약하게 만들고 다낭성 난소 증후군을 유발했을까? 허리를 마비시키는 생리통에 고통스러워하며, 이따금 나는 그날의 나로 돌아가 곰곰이 생각해보곤 하는 것이었다. 그때, 그 부풀어 오른 남자의 가슴을 보지 않았더라면, 어쩌면 무엇인가 달라질 수도 있었을까?

푸른 피, 상쾌한 '그 날'

텔레비전을 보다 보면 온갖 종류의 생리대 광고를 접하게 된다. 하지만 그 수많은 생리대 광고들의 이미지는 판에 박힌 듯 비슷하다. 순백의 원피스나 딱 달라붙는 흰 스키니진을 입은 청순한 여자들이 등장해 "'그 날'에도 상쾌해요!" "상쾌한 '그 날'을 위하여!"와 같은 캐치프레이즈를 던지며 가벼운 몸놀림으로 까르르까르르 웃는다. 단아하고 청순한 이미지를 가진 배우들은 약속이라도 한 듯 무조건 흰옷을 입고 있다. 그 후에는 제품의 흡수력을 강조하기 위해 새파란 용액을 생리대에 붓는 장면이 꼭 등장한다. "몇 배 더 빠른 흡수!"와 같은 마무리 멘트와 함께 광고가 끝이 난다. 생리나 월경 같은 단어는 결코 등장하지 않고 빨간 피도 등장하지 않는다. 그 업계에서 가장 중요한 키워드는 아마 '순수' '순결' '청결' '흰색' '푸른색' '청순함' 등인 것 같다.

사실 이런 생리대 광고에 특별히 문제의식을 가진 적은 없었다. 왜냐하면, 정말이지 그 광고들에 일말의 관심도 없었기 때문이다. 분명 생리대 광고의 타깃은 월경하는 모든 여성일 테지만, 나는 그러한 광고들을 보며 내가 타깃일 거라는 생각을 해본 적이 없었다. 나의 진짜 경험과는 너무도 동떨어진 이미지들은 생리대 광고들이 나와는 전혀 상관없는 일로 느껴지게끔 했다.

하지만 진짜 문제는, 이러한 광고들이 월경에 대한 무지와 오해를 확산한다는 점에 있다. 또한 '그 날'이라는 용어를 사용함으로써 월경을 터부시하고 여자들을 침묵시킨다는 점에 있다. 여성의 월경혈이 정말 '푸른색'이라고 믿고 있는 남자아이들이 있다는 사실에 난 적잖이 충격을 받았다. 비슷한 맥락에서, 생리대 소·중·대형 사이즈가 체형에 따라 나뉘는 줄 아는 남자들도 있다고 들었다.

생리하는 날은 몸이 가볍지도 않고 까르르 웃을 기분도 아니다. 오히려 정반대다. 특별한 이유가 없는 한 생리하는 기간에 굳이 흰옷을 입는 여성은 없다. 그러나 생리대 광고는 현실과는 너무도 동떨어진 거짓된 이미지를 확산한다. 그리고 은연중에 여자들에게 강요한다. 너희는 생리하더라도 이렇게 흰옷을 입고 가벼운 몸으로 밖에 나설 수 있어야 해. 우리 생리대를 쓰면 흰색 스키니진을 입어도 새지 않을 거야. 감쪽같이 숨겨줄 거야. 절대 들키지 않을 거야. 생리하는 날에도 예쁘고 청순해지고 싶다면 우리 생리대를 써!

여자의 질에서는 새빨간 피가 흐른다. 코에서 흐르는 코피처럼, 그냥 우리 몸에서 흐르는 다른 보통의 피처럼 말이다. 오줌처럼 참았다 쌀 수 있는 성질의 것도 아니다. 환부에서 피가 흐르듯, 그렇게 때가 되면 질에서도 피가 흐른다. 스물네 시간 내내, 5일에서 7일 동안 말이다.

몇몇 사람들은 묻는다. 굳이 광고에서 혐오스러운 빨간 피를 노출시켜야 하냐고. 그 질문에 대한 나의 대답은 "예쓰!"다. 왜냐하면 상처에 바르는 약이나 데일밴드를 광고할 때 푸른 피를 쓰지는 않기 때문이다. 사람들은 너무나 자주 여자들이 매달마다 질에서 새빨간 피를 흘리고 있다는 사실을 잊는다. 혹은, 알고 싶어하지 않는다. 더럽게 여긴다. 혐오한다. 침묵시킨다. 그렇게 우리의 질에서 흐르는 새빨간 피는 텔레비전에서 보기 좋은 푸른색으로 둔갑하여 향기나는 생리대에 흡수된다. 그리고 누군가는 사회에서 요구하는 예쁘고 청순하고 깨끗한 여성의 환상을 사기 위해 그 생리대를 구입한다.

월경혈을 더럽고 부끄럽고 숨겨야 하는 것으로 비추는 것은 기업의 대표적인 마케팅 전략이기도 하다. 월경은 거대한 자본주의 구조 속에서 늘 기업의 입맛대로 해석되어 왔다. '절대 새지 않는' 생리대를 만들기 위해서는 더 지독한 화학 약품이 필요하다. 당연히 몸에 좋을 리가 없다. 하지만 생리대 업계를 독점한 몇몇 기업들은 그러한 생리대를 우후죽순 양산해왔다. 월경혈은 절대로 밖으로 새면 안 되는 독극물인 것처럼 선전하며. 사실, 월경혈이 조금 샌다 해서 사람이 죽진 않는다. 괜찮다. 그렇게까지 호들갑 떨 일이 아니다. 사람이 생활하다 보면 가끔 샐 수도 있고, 피가 좀 비칠 수도 있다. 물론 그럴 때 귀찮은 상황이 벌어지겠지만, 충분히 수습할 수 있고 해결 가능한 일들이다.

우리 사회에서 이러한 상황들을 좀더 자연스럽게 받아들이게 하기 위해서는, 월경하는 여성에게만 가해지는 폭력적이고 억압적인 잣대를 깨부숴야 한다. 절대 피가 새서는 안 된다고 여자아이를 교육시킬 것이 아니라, 피가 좀 샜다고 뒤에서 수군거리거나 조롱하는 사람들을 교육시켜야 한다. 괜찮다고, 그럴 수도 있다고 받아들이도록. 그런 상황에서는 놀리거나 비웃지 말고 도와줘야 한다고 가르쳐야 한다. 매달마다 흘리는 피를 완벽하게 틀어막겠다는 사고방식부터가 기업이 원하는 방향이다. 그래야만 여자들이 더 많은, 그리고 더 강력하고 향기나는 생리대를 매번 구입할 테니까. 소형, 중형, 대형, 오버나이트, 심지어 팬티라이너까지 각종 라인들을 내놓으며 장사할 수 있을 테니까.

냉이든 생리혈이든, 생리대를 착용했는데도 팬티에 뭔가 묻었다면 빨면 된다. 여성의 팬티는 늘 깨끗해야 할 필요가 없다. 팬티가 언제나 깔끔해야 한다면 대체 왜 입는가? 여성의 질에서는 여러 분비물이 나올 수 있고 그건 지극히 정상이다.

*

광고는 그저 광고일 뿐이라고 말하는 사람들에게.

여자들은 더 이상 여성혐오를 파는 광고를 소비하지 않는다. 여성을 대상으로 장사를 하려면 최소한 소비자의 눈치를 보고 트렌드를 따라야 한다. 이삼십 대 여성을 타깃으로 하는 펨버타이징(Feminism과 Advertising의 합성어)이 무엇인지도 좀 연구하고 말이다. 이제 생리대 광고는 여성 소비자들의 무수한 질문과 비판에 답할 의무가 있다.

최근에는 앞서 언급한 여러 문제점들을 타파한 좋은 생리대 광고들이 한국에서도 나오기 시작했다. 생리를 생리라고 말하는(너무나 당연하게도!) 정상적인 광고들 말이다. 세상은 조금씩, 아니 사실은 아주 빠르게 변화하고 있다. 한국에서도 전면적으로 빨간 피가 생리대 광고에 등장하는 그날이 오면, 어떤 사람들은 믿을 수 없어질지도 모른다. 예전에는 생리대 광고에서 '푸른 피'를 사용했다는 사실을.

'그 날'의 침묵

동서고금을 막론하고, 월경은 언제나 다양한 표현들로 대체되어 오곤 했다. 우리나라의 경우 가장 대표적으로는 '생리'라는 용어가 쓰이고 있다. 몸에서 일어나는 생리현상을 통칭하는 말로 월경을 에둘러 표현한 것이다. 월경의 완곡한 표현인 '생리'조차도 공공연하게 발화되지 못하고 보통 '그 날'이나 '대자연' '마법' '달거리' 등의 용어들로 대체되곤 한다. 마치 이슬람의 히잡처럼, 언어를 가리고 구속하여 여성의 경험은 검열되고 삭제된다. 한국어든 영어든 네덜란드어든 비슷하다. 월경 대체 용어로 한 권의 책을 한 권 써도 재밌겠다는 생각이 들 정도다. 개인적으로 '달거리'라는 단어가 인상깊은데, 한자어인 '월경'보다 순우리말의 정취가 묻어나 마음에 쏙 든다. 자연과 연결된 느낌이 더 강하게 들기도 한다. '달거리'는 달의 주기, 즉 자연의 주기와 깊게 연결된 월경의 특성을 긍정하고 적극적으로 드러낸다는 점에서 내 마음에 드는 표현이다.

생리를 생리라고 부르지 못해 파생된 수많은 용어 하나하나에 너무 구속될 필요는 없다고 생각한다. 어떤 한 단어를 무조건 사용해야 한다고 생각하지도 않는다. 월경과 관련된 풍부하고 다양한 언어는 새로운 여성의 언어를 창조하는 발판이 될 수 있으며 우리에게 다양한 정체성과 의미를 탐색할 수 있는 창구를 마련해주기도 한다. 나는 '달거리'라는 표현을 접하기 전까지는 월경과 자연을 관련지어 생각해본 적이 없었다. 단지 귀찮고 불편하며 문명의 이기를 활용해 통제해야 할 현상으로 치부했을 뿐이다. 하지만 '달거리'라는 용어가 주는 어감이 나로 하여금 월경을 자연과 연결된 멋진 현상으로 받아들일 수 있게 해주었고 매달마다 돌아오는 월경 주기를 더 이상 미워하지 않게 도와주었다.

최근 '정혈'이라는 표현을 쓰자는 움직임이 일고 있다고 앞서 말했는데, '맑은 피'라는 뜻을 가진 용어로 월경혈에 대한 오해를 불식시키는 긍정적인 어감의 단어라서 좋아한다. 월경혈에서 냄새가 난다고 오해하는 사람들이 종종 있는데, 사실 피에서는 피 냄새밖에 안 난다. 생리컵을 쓸 경우 컵에 고여있는 피에서는 피비린내밖에 나지 않는다. 생리대에서 냄새가 나는 이유는 생리혈이 화학물질과 닿고 공기와 접촉하면서 산화되기 때문이다. 생리대의 혈흔이 갈색빛을 띠는 이유도 마찬가지다. 생리컵을 사용하면 질에서 흐르는 피가 우리 몸에서 흐르는 다른 모든 피와 마찬가지로 붉디붉은 빨간색이라는 사실을 알 수 있다.

영어에도 '멘스트루에이션(menstruation)'을 대체하기 위한 수많은 표현이 있고 그중 가장 대표적인 표현이 '피리어드(period)'다. 하지만 그중에서도 내 마음에 가장 쏙 들었던 용어는 '마이 먼슬리 비지터(my monthly visitor)'라는 표현이다. 매달마다 찾아오는 나의 방문객이라니! 너무도 귀엽고 긍정적인 에너지가 넘쳐나는 표현이다. 방문객은 언제나 설레지 않는가. 엄마나 아빠의 방문객이 아니라 '나의' 방문객일 때는 더더욱. 우리도 달마다 돌아오는 월경 주기에 불평만 할 것이 아니라 '나의 방문객이 또 찾아왔구나!'라는 마음가짐으로 맞아보는 건 어떨까? 조금 까탈스럽고 손이 많이 가는 방문객이긴 하지만 말이다. 그렇게 생각하니 다음에 찾아올 월경 주기가 내심 기대되기까지 했다.

언어에는 아주 강력한 힘이 있다. 페미니즘 운동의 핵심에는 언어 투쟁이 존재한다 해도 과언은 아니다. 기존의 남성 중심적 언어 체계를 해체하고 새로운 여성의 언어를 창조해내는 작업이야말로 여성주의 문학이 추구하는 목표이며 페미니즘의 가장 주요한 전략이기도 하다. 언어의 힘, 특히 '호명'의 힘은 매우 강력하다. 생리를 생리라고 호명할 수 있는 힘은 생리 그 자체의 힘이자 여성의 힘이다.

무엇보다 중요한 것은 자유롭게 발화할 수 있는 분위기이다. 월경이라 부르든, 생리라 부르든, 정혈이라 부르든, 어떤 용어든 내가 주체적으로 선택하여 발화하고 호명할 수 있는 그 힘이 중요하다. 가장 무서운 것은 침묵이다. 생리를 돌려 말하는 표현 중 '그 날'이나 '그것'은 너무 특정성이 떨어지는 표현이기도 하지만 우리를 침묵시키는 언어라는 점에서 최악이다.

그동안 우리는 자연히 목소리를 낮추고 주변 눈치를 살피며 여자애들에게 '그 날'을 말하고 '그것'(생리대)을 빌려달라고 속닥거리곤 했다. 생리와 관련된 화제가 등장하면 보통 남자들은 자연스럽게 못 들은 척 침묵하거나 자리를 피한다. 물론 실수하고 싶지 않아 배려하는 마음에서 우러난 행동일 수도 있지만, 사실 그건 이상한 일이다.

교수님이 과제를 너무 많이 내주셔서 힘들다거나, 가족과 싸워서 우울하다거나, 요즘 몸 컨디션이 좋지 않아 걱정된다거나 하는 이야기를 할 때는 누구도 자리를 피하지 않고 오히려 진지하게 들어주는데 왜 생리 이야기만 꺼내면 분위기가 얼어붙을까? 우리는 더 이상 생리에 관해 목소리를 낮출 필요도, 남 눈치를 볼 필요도 없다. 생리는 금기의 단어가 아니다.

이제 더는 침묵당하지 않기로 했다. 내가 선택하고 싶은 용어로 남자에게, 선배에게, 교수에게, 상사에게 거침없이 말할 것이다. "네, 저 생리하는데요?"라고. 당당하게 생리대나 탐폰을 들고 화장실에 갈 것이다. 누가 물어보면, "아, 생리대/탐폰/생리컵 갈러요."라고 말할 것이다.

변화에는 시간이 걸리고, 우리에게는 그날까지 기다려줄 시간이 없다. 나중으로 계속 미루기만 한다면 우리 세대는 물론이거니와 다음 세대에서도 여전히 여성들은 생리에 관해 침묵해야 할지도 모른다. 다양한 직군과 연령대의 더 많은 여성이 생리에 관해 목소리를 높일 때, 각각의 작은 모임에서부터 생리 터부는 점점 깨어질 것이고 그 작은 모임에서부터 시작된 변화는 언젠가 반드시 이 세계 전체로 확장될 것이다. 그리고 변화의 핵심에는 언어가 있고 이야기가 있다.

그어생 : 그래도 어차피 생리대

　어릴 적 친구들과 워터파크에 놀러 갔을 때 처음으로 탐폰을 시도해본 적이 있다. 열여섯 즈음이었던 것 같다. 생리가 거의 끝나가는 5일 차였기에 생리 양이 많지 않아 탐폰을 착용하면 충분히 수영장에 들어갈 수 있을 것 같았다. 생리대를 착용한 채 수영복을 입으면 겉으로 봤을 때도 한눈에 티가 날뿐더러 생리대가 물에 젖으면 무겁고 불편하기 때문에 그것만큼은 피하고 싶었다. 하지만 아무런 사전 지식 없이 혼자서 탐폰을 쉽게 착용할 수 있을 리가 없었다. 그때 나는 여자의 몸에 구멍이 몇 개 있는지조차 잘 모를 때였다. (한국의 성교육이 그렇다.) 인터넷에서 대충 검색해본 대로 열악한 화장실에서 보이지 않는 밑을 무작정 쑤셔대며 구멍을 찾았지만, 탐폰이 들어갈 만한 구멍 같은 건 없어 보였다. 혼자서 끙끙댄 지 십 분쯤 지나자 밖에서 기다리던 친구들이 빨리 나오라며 재촉을 해댔다. 급한 마음에 어딘가 움푹 파인 곳에 힘을 주어 탐폰을 눌러 넣자 생전 처음 겪어보는 엄청난 고통이 느껴졌다. 당황스러웠다. 인터넷에서는 다들 쉽게 하던데, 난 왜 이렇게 아프지? 도저히 그곳에 무언가를 넣을 엄두가 나지 않아 끄트머리만 아주 조금 들어간 탐폰을 도로 빼냈다. 이제 어떻게 해야 하지. 탐폰만 믿고 생리대는 가져오지도 않았는데....... 한참을 화장실 칸 안에서 쩔쩔매던 나는 결국 탐폰은 휴지통에 버리고 그냥 수영복만 입은 채 물에 들어갔다. 생리 끝물이었기 때문에 별문제는 없었다.

이쯤에서 놀라운 사실을 하나 짚고 넘어가자. 물속에 들어가면 질에서 피가 흐르는 일은 없다. 생리 첫째 날이더라도 물속에서는 수압 때문에 피가 흐르지 않는다. 샤워를 해본 여성이라면 다 알 것이다. 생리 중 샤워를 하거나 목욕을 할 때 생리혈이 흐르는 경우는 없다. 질에 물이 닿는 동안에는 생리혈이 나오지 않는다. 많은 사람들의 오해처럼 생리 중인 여성이 물속에 들어갔을 때 피가 사르르 번지는 일은 현실에서 일어날 수 없다는 이야기다. 문제는 물에서 나왔을 때다. 더 이상 질에 물이 닿지 않게 되면 생리혈이 흐를 수 있다. 그런 상황에 대비해 탐폰을 착용하는 것인데, 생리 양이 많지 않은 끝물이라면 크게 걱정할 일은 없다.

월경 중인 여성은 수영할 수 없다는 수영장의 방침이 여성혐오냐 아니냐는 논란이 인 적이 있다. 나는 당연히 여성 혐오라고 생각한다. 아직도 많은 사람들이 월경 중인 여성이 수영장에 들어오는 일을 더럽고 비위생적이며 불쾌하다고 여긴다. 수영장 물속에 월경혈이 섞일 일은 전혀 없는데도 말이다. 무지에서 비롯된 근거 없는 혐오인 셈이다. 사람들은 생리에 민감하게 구는 만큼 수영장에서 몰래 오줌을 싸거나 침을 뱉을 수도 있는 경우에 대해서는 크게 걱정하지 않는다. 몸의 어딘가가 긁혀 환부에서 피가 흘러나올 경우도 걱정하지 않는다. 수영장 물이 생리혈로 더럽혀지는 것을 걱정할 바에는 차라리 그런 경우를 경계하는 것이 확률상 나을 테다. 생리를 향한 이러한 사회적 편견 때문에 여자들도 주변 시선이 신경 쓰이거나 찝찝해서 월경 기간에는 수영장에 가지 않는 경우가 많다. 문제는 여성의 월경 기간을 배려해주는 수영장이 많지 않다는 점이다. 월경하지 않는 남성이 디폴트인 셈이다. 그러나 월경은 여성이 조절하거나 통제할 수 있는 부분이 아니다. 똑같이 한 달 정기권을 결제했는데 여자만 일주일 동안 수영장에 갈 수 없다면, 이 부분은 가격에서 제해줘야 하는 것이 맞다.

이처럼 월경을 전혀 배려해주지 않는 사회에서 여자아이들의 탐폰 경험은 대부분 좋지 않은 기억으로 끝나게 된다.

많은 여자아이들이 수영장에 가기 위해 아무런 사전 지식 없이 탐폰을 시도하지만, 대부분의 경우 당연하게도 실패한다. 탐폰을 어떻게 착용해야 하는지, 아니 그 전에 질이 어디에 있는지조차 제대로 배운 적 없는 여자아이들은 대부분 넣지도 못한 채 실패한 기억만을 안고 살거나 혹은 제대로 착용하지 못해 생리혈이 새거나 불편함을 겪었던 기억만을 토대로 단정 짓는다. '아, 나는 탐폰이랑 안 맞나 보다. 그냥 생리대나 써야지.' 뿐만 아니라 탐폰을 둘러싼 각종 미신과 오해, 주위의 시선도 한 몫 한다. 탐폰을 넣으면 질이 늘어난다거나, 질막이 파괴된다거나, 처녀는 탐폰을 사용하면 안 된다거나....... 비과학적이고 비논리적인 오해는 끝도 없다. "탐폰 써봤어?" 어릴 적 친구에게 물어보면 께름칙한 표정과 함께 "아니... 뭔가 무섭잖아"라는 답변을 얻는다. 탐폰을 쓰는 여자아이는 또래 사이에서 남들보다 성에 더 일찍 눈을 뜬 개방적인 아이로 취급받는다. 심하게 말하면, '발랑 까진 애'가 된다. 여자는 성적으로 조신하고 순수해야 한다는 여성혐오는 여자아이들이 감히 자신의 성기에 손을 대지조차 못하게 한다. 자위는 물론이거니와, 탐폰을 착용하는 일조차 문란한 행위로 치부된다.

'피가 흐르니까 어딘가에 구멍이 있기야 하겠지만 나는

잘 몰라(혹은 별로 알고 싶지 않아).' 이런 심정으로 미지의 구멍에서 흐르는 피를 생리대로 대충 틀어막은 채, 그렇게 n년을 살아왔다. 그 후에도 탐폰을 다시 시도해본 적은 있었지만, 결국은 가장 편하고 익숙한 생리대로 번번히 돌아왔다. 그래도 사람들이 보편적으로 사용하는 생리대가 가장 낫다고 믿었기 때문이다. 말 그대로, 난 '그래도 어차피 생리대' 대군 중 하나였다. 물론 일회용 생리대에는 몸에 좋지 않은 화학물질이 있기야 하겠지만, 몸에 심각하게 해로운 수준은 아닐 것이라고 믿었다. 모두가 쓰고 있었기 때문이다. 엄마도, 여동생도, 친구들도 전부 별다른 의심이나 걱정 없이 당연하다는 듯 일회용 생리대를 썼다. 성기가 생리대에 쓸려 건조해지고 간지럽고 따가워도, 여름에는 통풍이 안 되고 땀이 차서 습진이 생겨도, 그 정도는 감수해야 한다고 생각했다. 이유도 알 수 없이 질염에 가끔 걸리면서도 어쩌면 생리대 때문일 수도 있다고는 전혀 생각해보지 못했다. 생리혈 양이 많은 첫날과 둘째 날에 쓸 대형 생리대와 밤에 쓸 오버나이트, 생리 끝물에 가까워질수록 쓸 중형 생리대와 팬티라이너를 종류별로 구비해두느라 한달에 생리대에만 몇 만 원이 훌쩍 넘는 돈을 지출하면서도, 여자로 태어난 이상 어쩔 수 없다고 생각했다. 생리컵이라는 것이 존재하는 지도 몰랐을 때였다. 그 유명한 탐폰 독성쇼크증후군은 뉴스에서 과장되게 보도하여 불안함을 증폭시키는 반면, 일회용 생리대의 부작용에 대해서는 딱히 들어본 바가 없었다. 혹은 생리대의 부작용이 보도되더라도 "어쩔 수 없다" 거나 "그쯤은 감수해야 한다"는 반응이 대부분이었다. 별다른 선택지가 없었기 때문이다. 나도 그렇게 생각했다. 이년 전까지는.

생리대 유해물질 파동

열다섯 살 초경 이후, 시간이 지날수록 생리의 고통은 점점 커져만 갔다. 성인이 된 후로부터는 고통이 더욱 극심해져 생리 때문에 겪을 수 있는 온갖 고생이란 고생은 다 해봤다. 신체적으로도 정신적으로도 바람 잘 날 없이 흔들리며 불안정한 주기를 보냈고, 매달 극심한 PMS와 생리통에 시달렸으며, 어떨 때는 내 몸의 주인은 포궁이고 나는 그저 호르몬의 노예인 것처럼 느껴지기까지 했다. 분명 내 삶에서 생리가 차지하고 있는 비중은 내 짐작보다도 훨씬 높으며, 나도 모르는 새에 생리와 관련된 경험은 내 신체와 의식 체계에 면밀하고도 깊숙이 영향을 미쳐왔을 것이다. 하지만 나는 생리가 내게 어떤 영향을 미쳐왔는지 짚어보기도 전에, 생리라는 경험에 관해 찬찬히 고민해볼 생각조차 해보지 못했다. 매달마다 그렇게나 고통받으면서도, 그저 여자라면 당연히 겪어야만 하는 월례 행사쯤으로만 취급했다. 어떻게 이런 일이 가능했을까?

나에게 생리는 개인적인 불행이었다. 운 나쁘게 남들보다 약한 포궁과 불안정한 호르몬을 타고나서 어쩔 수 없이 겪어야만 하는, 개인적인 불운. 밖에서는, 공적인 자리에서는, 아니 엄밀히 말하면 남자가 있는 곳에서는 차마 입에 올릴 수도 없는 '월경'이란 단어의 우회적 표현인 '생리'조차도 '그거' '그 날' '대자연' 따위의 말들로 대체해가며 목소리를 죽여야만 했던 날들 속에서, 생리는 지극히 개인적이고 사소하고 비밀스러운 사건으로만 여겨졌다. 그저 개인적인 불행으로만 여겨왔던 내 경험이 사실은 집단적이고 사회적인 경험일 수 있다는 의심이 싹트기 시작한 것은, 2017년 생리대에서 발암물질이 검출되었다는 충격적인 뉴스가 쏟아질 그즈음이었다.

처음엔 어이가 없었다. 국내에서 버젓이 판매되며 나도 매달 써왔던 대다수의 생리대에서 유해물질이 검출되었다. 그동안 나는 아무것도 모른 채 국산 생리대만을 써왔는데, 이제야 그 사실이 밝혀진 것도 어이가 없거니와, 그런데도 뾰족한 대책이 없다는 사실이 더 충격적이었다. 모두 사색이 되어 그렇다면 어떤 생리대를 써야 하나 검색해보았지만, 면 생리대를 쓰지 않는 이상 일회용 생리대에는 몸에 좋지 않은 화학물질이 첨가될 수밖에 없다는 절망적인 뉴스뿐이었다.

지독한 배신감이 뒤통수를 갈겼다. 과연 국가는, 이제야 이 사실을 처음 알게 된 걸까? 생리컵조차 마음대로 살 수 없게 압박을 가하던 대기업의 횡포 아래, 여성들의 몸과 알 권리는 나중으로 미뤄졌고 사소한 것으로 축소되었다. 여성은 단지 2등 시민일 뿐이라는 사실을 그때처럼 확고히 느낀 적은 없었다. 여성만의 경험인 월경은 국가에서 책임져주지 않았다. 그 모든 고통은 그저 여성으로 태어난 내가 감내해야 할 개인적인 불행일 뿐이었다. 어릴 때는 없었던 지독한 PMS와 생리통이 내게 언제부터 생겨나게 되었을까? 그건 과연, 내가 줄곧 써왔던 유해물질이 가득한 생리대와 무관한 일일까? 아무도 나의 고통에 관한 의학적 근거를 조사해주지 않았지만, 멍청이가 아니고서야 그 사이에 연결고리가 전혀 없다고는 말할 수 없을 것이다. 일회용 화학 생리대를 쓰기 때문에 유해물질을 감수해야만 한다면, 그 외에 내가 무엇을 선택할 수 있는지 누구도 알려준 적은 없었다. 불편하고 비싼 면 생리대나 질막을 파괴한다는 탐폰. 그 두 가지 선택지가 내가 아는 정보의 전부였다. 생리컵이란 것이 무엇인지 누구도 모를 때였다.

우리는 과연 제대로 된 정보를 접하고 있을까?

국가적 차원에서 정보가 통제되고 있었음을 깨달은 여성들은 분노했고, 급격히 재부상한 페미니즘 운동과 더불어 생리컵에 대한 수요가 폭발적으로 늘어났다. 하지만 그렇다면, 과연 생리컵은 정말 안전한 게 맞을까? 내 몸에 잘 맞는 걸까? 그저 인터넷에서 본 정보를 믿고 생리컵이라는 새로운 제품을 시도해봐도 되는 걸까? 여태껏 모두가 별다른 의심 없이 일회용 생리대를 써왔는데, 그렇다면 생리컵은 정말 검증된 것이 맞을까? 나중에 또 뒤통수를 맞는 건 아닐까? 여성들은 이렇게 매번 자신의 몸을 대상으로 임상 실험을 해보는 수밖에는 없는 것일까?

제도권 교육은 임신과 출산의 고통과 그것이 여성의 몸에 미치는 해악은 설명하지 않는다. 다양한 월경 전 증후군과 월경통, 월경 중단 방법(IUD, 임플라논 등)에 관해서도 설명하지 않는다. 여성이 월경 전에 어떤 증후를 겪는지, 월경 중에 어떻게 고통받는지, 어떤 종류의 월경 용품들이 있는지, 월경의 증상들을 완화하거나 월경을 중단할 어떠한 방법들이 있는지 알려주지 않는다. 여성을 사람이 아닌 '포궁'으로 취급하는 정부의 여러 정책—가임기 지도 등—에서도 알 수 있듯, 제도권 교육 내에서 여성의 몸과 월경은 재생산(번식)의 관점에서밖에 해석되지 않는다. 학창시절 내가 받은 여성의 몸에 대한 교육은 피임법과 배란일 계산법이 전부였다. 여성이 겪는 다양한 월경 경험에 대해서도 나눌 곳은 없다. 월경과 관련된 실질적이고 중요한 정보는 여성 개인이 산부인과에서 접해야 하는, 대부분의 경우 보험 처리도 제대로 되지 않는 개인적인 영역일 뿐이다. 형편이 넉넉지 못하거나, 산부인과에 가는 여성을 향한 편견 때문에 그조차 어려운 이들에게는 제대로 검증되지 않은 정보와 광고로만 가득 찬 인터넷이 전부다.

우리는 제대로 된 정보를 접하고 있지 않다. 생리와 관련된 경험과 정보를 자유롭게 나눌 곳도 없다. 이 년 전 생리대 유해물질 파동 이후, 난 서서히 깨닫게 되었다. 아, 나의 불행은 개인적인 것이 아니었구나. 내 불행한 생리 경험은 사회구조적으로, 그리고 정치적으로 형성된 것이었구나. 생리가 과연 처음부터 이렇게 엿 같은 경험이었을까? 무엇이 우리로 하여금 이토록 생리를 혐오하게 만들었을까?

확고한 '그어생' 대군 중 하나였던 나는 큰 혼란을 겪기 시작했다. 처음에는 국가와 사회가 통제해왔던 생리용품의 선택권에 대해 분노했지만, 곰곰이 생각할수록 이건 단지 생리대나 생리용품만의 문제는 아니라는 의심이 싹트기 시작했다. 또한 이건 단순히 생리에 대한 문제만도 아니라는 확신이 들었다. 어쩌면 아주 오래전부터 우리 사회는 여성의 성을 통제해왔고, 그 결과가 이제 와서야 생리대 유해물질 파동으로 불거져 나온 것이 아닐까? 그리고 남성이 타자화하고 규정하고 억압하고 통제해왔던 여성성의 핵심에는 생리가 있었다.

그때 이후로 나는 줄곧 나의 생리 경험에 대해 생각하기 시작했다. 또한 내 질에 대해, 내 성기에 대해, 내 몸에 대해 생각하기 시작했다. 생각하면 할수록 그동안 내가 겹겹의 억압 속에서 얼마나 침묵당해왔으며 나 자신을 검열해왔는지 분명하게 보였다. 모든 것들이 점차 선명해졌다. 국가가, 사회가, 자본이 어떻게 생리를 통제하고 내 몸을 검열해왔는지 선명히 보였다. 점차 내 질과 포궁이, 내 몸이 모든 풍요로운 텍스트의 원천이자 격렬한 정치적 투쟁의 장으로 느껴지기 시작했다. 내 생리 경험은 더 이상 나만의 개인적인 경험이 아니게 되었다. 내 몸 또한 더 이상 나만의 개인적인 몸은 아니게 되었다. 내 생리, 그리고 내 몸을 탐구해나가는 과정은 어쩌면 이 사회의 가부장제를 뿌리부터 뒤

흔들 수 있는 잠재력을 가지고 있는지도 모른다는 생각이 들었다. 생리를 겹겹이 둘러싸고 있는 혐오와 억압의 베일을 걷어내고 온전한 빨간 피를 마주하는 일은 곧 여성해방으로 가는 길이라는 확신이 들었다. 그리하여 나는 생리 일기를 쓰기로 했다. 온전한 나를 마주하기 위하여.

생리
일기

제 2 장

네, 저 생리하는데요?

희미한 예감
D-14

　예감은 잠잠히 몸으로 스며든다. 저 멀리서부터 희미하게 비쳐오는 푸르스름한 박명처럼, 눈치채기도 전에 이미 옆구리와 사타구니에 조심스레 파고들어 자리 잡고 있는 공기의 스산함처럼, 예감은 서서히 내 몸에 내리고 내 감각들을 차례로 일깨운다. 의식이 미처 알아차리기도 전에 몸은 소리 없이 다가오는 감각을 기민하게 감지하고 적절히 반응한다. 그러니까 이 예감이란, 늘 나를 앞서가는 감각과 감정과 몸의 세심한 변화를 뒤늦게 발견한 후 그 시간을 거슬러 올라가보려 노력하는 의식과의 간극에서 조심스레 피어오르는 것이다. 그렇기에 내 예감은 언제나 느리다.

　여느 때처럼 침대에 엎드려 누웠는데 양쪽 가슴이 짓눌리며 은근한 불편함이 느껴졌다. 가슴에 몽우리가 진 것처럼 조금 단단해졌다. 시작된 것이다. 길고 긴 2주간의 PMS가. 어느샌가 나는 깊숙한 곳에서부터 성욕이 제 존재를 뭉근히 드러내기 시작했다는 것을 눈치챘다. 평소에는 거기 있는

지도 깜빡 잊고 살던 성기가 차차 그 존재감을 분명히 나타내기 시작한 것이다. 몸의 감각이 나를 갑작스럽게 일깨우는 순간은 아주 다양하고도 일상적이다. 그저 다리를 조금 벌리고 앉았을 뿐인데 붙어 있던 소음순이 쩍 하고 벌어지는 과정이 새삼스레 신경 쓰인다든가, 마치 심장이 쿵쿵 뛰는 듯한 일정한 박동이 성기에서 지나치게 선명하게 느껴진다든가, 그저 침대에 엎드려 책을 읽고 있는데 이불보에 짓눌린 클리토리스가 예정에 없이 부풀어 오른다든가 하는 평범한 순간들이다. 그때 나는 온몸의 감각이 동면에서 깨어나 예민하고 날카로운 기세로 오소소 솟아오르고 있음을 본다.

이맘때쯤이면 지난 2주간 겨우 잠재워두었던 식욕도 서서히 고개를 쳐들기 시작한다. 무언가 먹고 싶은 것이 계시처럼 문득 떠오르면 끼니 때마다 그 음식이 아른거려 먹지 않을 수 없다. 보통은 아주 매운 음식이 대부분이다. 아무리 억누르려 해도 그때 떠오른 그 음식을 먹지 않으면 하루가 지나도, 이틀이 지나도, 일주일, 이주일이 지나도 그 욕구가 사그라들지 않는다. 먹지 못하면 온종일 그 생각에 사로잡혀 다른 일이 손에 잡히지 않을 때도 있다. 그럴 때 한번 식사를 하기 시작하면 마치 위가 무한정 늘어나기라도 한 듯 남들이 모두 수저를 내려놓아도 계속 먹는다. 식욕은 시간이 지날수록 더더욱 강해질 뿐, 절제를 모른다.

　희미한 예감은 어둠 속에서 점차 그 실체를 드러낸다. 나는 조용히, 하지만 재빠르게 시시각각 변화해가고 있는 몸의 움직임을 가까스로 추적하며 흐르는 시간에 그저 내던져질 뿐이다.

자기 의심
D-10

저 멀리서 파도처럼 아득하게 밀려오는 것은 성욕이나 식욕뿐이 아니다. 나는 어느 순간부터 조금씩 동굴을 파내며 곧 다가올 잠수의 시간을 준비한다. 어렴풋이 덮쳐드는 우울감. 그것이야말로 나를 가장 취약하고 무력하게 만든다.

많은 사람들이 착각하는 것이 하나 있다. PMS를 겪는 여성이 평소보다 감성적이고 예민해지고 우울해진다고 하면, 그저 이유 없이 밤하늘에 떠 있는 달을 보고 감상에 젖고 길가의 풀잎들을 들여다보며 눈물을 흘리는 만화 같은 모습을 상상한다. 물론 그런 부류의 감정 변화를 겪는 사람도 어딘가에 있겠지. PMS는 하나로 일반화되거나 몇 가지 유형으로 구획될 수 없는 경험이다. 똑같이 우울감을 느낀다 해도, 개개인이 경험하는 우울은 절대 같은 것일 수 없다.

그러나 나의 우울은 구체적이다. 정확한 대상과 실체가 있다. 어느 순간 호르몬의 댐이 무너진 듯 피할 수 없이 밀려오는 우울감에 나의 의식이 급격한 감정선을 쫓아가지 못하고 허둥거리며 모호한 영역 속에 남겨져 있을 때도 있으나, 시간이 흐르면 대부분의 경우 구체적으로 인식한다. 무엇이 나를 우울하게 만들고, 무엇이 나를 슬프게 하는지. 그 실체는 늘 다르다. 많은 사람들은 한 여성이 매달 겪는 PMS의 증후가 늘 같을 것이라고 짐작하지만, 사실은 그렇지 않다. 매달 돌아오는 2주간의 시간은 매달 다르고 새로운 경험이다. 무엇 하나 반복되는 것이 없다. 난 그때마다 스스로 놀랄 정도로 새롭고 낯선 감정의 영역을 개척해나가는 선구자가 된 기분으로 나의 우울감을 받아들인다. 하지만 아주 비슷한 감정이 끊임없이, 반복적으로 되돌아오기도 한다. 해결되지 못한 무언가가 지속되고 있기 때문이겠지. 그럴 때 나는 좌절한다. 동시에 그럴 때조차 나는 다르게 반응한다. 음악을 듣거나, 영화를 보거나, 글을 쓰거나, 불면의 밤을 보내거나, 그저 방에 틀어박혀 펑펑 울거나.

우울이 내게 오는 방식은 이러하다. 매달마다 나를 우울하게 만드는 일들은 일상적으로 발생한다. 그러한 일들은 언제나 내 주위에 있다. 그것은 인간관계에서의 갈등부터 시작해 어떤 프로젝트의 실패, 침몰하는 자존감, 사회적 부조리, 지독한 불안, 새로운 시작에 대한 두려움, 혹은 영원한 끝에 대한 두려움, 나의 존재와 정체성과 기원에 대한 고민 등의 광범위한 영역까지 걸쳐 있다. 그것은 뼈를 깎는 외로움이나, 결코 극복할 수 없을 것만 같은 무기력함이나, 끝없이 부정적인 비관의 굴레나, 낯설고도 익숙한 자기혐오와 같은 다양한 방식으로 다가온다. 생리가 다가올수록 나는 언제나 내 주위를 맴돌고 있었던 그것들을 점점 더 깊숙이 들여다보고 고통받는다. 답을 내릴 수 없는 질문들을 붙들고 침잠하기 시작한다. 혹은 이미 답을 얻었다고 생각했던 질문들을 또다시 던지기 시작한다. 왜 나는 이렇게 표류할 수밖에 없는지. 내가 과연 언젠가는 어디선가 정착할 수 있을지. 언젠가는 끝없이 반복되는 이 질문들을 끝낼수 있을지. 누군가를 사랑하고 또 진정한 관계를 맺을 수 있을지. 이 세상이, 내 삶이 조금이나마 더 나아질 수 있을지. 내가 이 세상에서 계속 살아갈 수 있을지. 나의 존재 이유를, 삶의 이유를 질문한다. 그러면서 무엇 하나 분명한 것이 없다는 사실에 좌절한다.

그러나 스멀스멀 다가오는 우울의 형체가 아직은 확실하지 않아서, 나는 종종 나 자신을 의심한다. 내가 지금 느끼는 이 우울감이 정말 PMS 때문일까? 그저 호르몬의 작용으로 치부해버리기에는, 내 감각은 너무나 선명하고 아프다. 달마다 돌아오는 주기임에도 나는 그때마다 의심한다. 이게 정말 PMS라고? 이렇게도 구체적으로 고통스러운데? 이 모든 게, 정말 단지 호르몬의 장난질 때문이라고? 그 사실을 믿을 수가 없어 끊임없이 나를 의심한다.

하지만 이때까지의 희미한 예감과 우울감은 앞으로 다가올 날들에 비하면 새 발의 피다. 생리 일주일 전부터 지옥의 PMS, 진짜 본게임이 시작되니까.

지옥의 PMS 시작
D-7

입가 주위에 붉은 화농성 여드름이 손 쓸 새도 없이 진탕 올라오기 시작하며 PMS 지옥의 포문을 열었다. 생리 전에 입가와 턱 주변에 번지는 여드름은 호르몬성이어서 아무리 열심히 피부 관리를 해도 해결되지 않는다. 피부과에서 압출을 받아도 잠시뿐, 곧바로 다른 자리에 새로운 여드름이 올라온다. 이런 화농성 여드름은 가끔 너무 아파서 굳이 건들거나 거울을 보지 않아도 어디에 뭐가 났는지 느껴질 만큼 대단한 존재감을 주장한다. 배란기에 나는 여드름은 주로 입 주위에, 턱에, 심지어 턱 아래 목에까지 난다. 이 기간에는 아무리 컨디션 조절을 잘하고 음식을 가려 먹어도 소용없다. 호르몬은 그런 방식으로 조절할 수 있는 것이 아니다. 물론 잠을 잘 못 자고 몸에 좋지 않은 음식을 즐겨 먹는다면 더 심해지겠지만, 꼭 그러지 않더라도 호르몬 신이 점지해준 양의 여드름은 무조건 나게 되어 있다. 컨디션 조절은 정해진 양에서 더 번지느냐, 최소한으로 막느냐의 문제일 뿐이다.

어젯밤 인중 오른쪽에 불그스름한 자국이 올라오며 화끈거리길래 곧 여드름이 나겠구나 싶었는데, 딱히 방지할 대책이 없어 그냥 내버려 두었다. 한때는 여드름에 좋다는 티트리 오일을 듬뿍 발라보기도 했고, 약국에서 파는 비싼 여드름 연고나 피부과에서 처방해준 연고를 발라보기도 했으며, 피부에 좋다는 비타민 약을 챙겨 먹은 적도, 마스크팩을 대용량으로 사서 하루에 하나씩 사용해본 적도 있었다. 대체 거기에 들인 돈이 얼마인지. 여드름을 미리 막을 수만 있다면 악마에게 영혼이라도 팔 수 있을 것 같은 심정으로 여드름에 좋다는 제품은 모조리 다 써봤지만, 소용없었다. 무슨 짓거리를 하든 여드름이 날 자리에는 난다. 아니나 다를까, 아침에 일어나니 딱 그 부분에 여드름이 생겼다. 아침부터 거울 속 내 모습을 보고 짜증이 확 솟구쳤다. 아직 턱에 난 왕여드름도 안 없어졌는데 인중에 또 생긴 것이다. 기분이 진짜 엿 같았다.

여드름이 올라오기 시작하면 외적인 자신감이 급격하게 떨어진다. 누군가 내 얼굴을 쳐다보면 속으로 내 여드름을 욕하는 건가 싶은 생각이 들 정도로 피해망상도 심해진다. 이럴 때 누군가가 대놓고 "어, 거기 여드름 났네"라고 지적이라도 하면 마음속에 핵폭탄이 터지고 얼굴은 붉으락푸르락해지지만 애써 웃어넘긴다. 처음에는 화장으로 어떻게든 가려보려고 여드름 위에 두껍게 피부 화장을 했지만 악순환이었다. 그래서 여드름을 보호하기 위한 목적으로 여드름 패치를 붙이기 시작했으나, 패치를 붙인 날은 온종일 그 부분이 신경 쓰여 누군가와 대화할 때도, 밥 먹을 때도, 물 마실 때도 극도로 조심해야만 했다. 대부분 입 주변에 여드름이 나기 때문에 말하거나 웃거나 물을 마시거나 밥을 먹을 때 패치의 이물감 때문에 매우 불편하다. 그런 자잘한 스트레스가 누적되면 그 날은 피곤하고 힘들고 기분 나쁜 하루가 된다. 이런 날들이 생리 시작 전까지, 일주일간 지속된다.

야속한 호르몬은 펄펄 날뛰며 평소에는 억누르며 살아오던 온갖 종류의 욕구를 들끓게 한다. 이맘때쯤의 식욕은 더 이상 나의 의지로 억누를 수 있는 수준이 아니다. 나의 몸이 "이것을 먹어라, 저것을 먹어라"라고 명령하면 그저 순순히 따를 뿐이다. 여러 해의 경험으로 그 편이 가장 낫다는 것을 깨우쳤다. 한때는 밤 열 시에 매운 떡볶이를 먹으라고 촉구하는 호르몬의 명령을 무시하거나 격렬하게 반항해보기도 했으나, 결과는 좋지 않았다. 그다음 날 새벽 두시에 갑자기 식욕이 폭발해서 라면을 끓여먹거나, 밤마다 먹방만 미친 듯이 찾아보며 세상의 모든 일에 분노하는 인성파탄자가 되고 싶지 않다면 그냥 순순히 몸의 요구에 제때 따르는 편이 가장 낫다. 어떤 여자들은 달달한 음식이 끌린다고 하지만 나는 이 시기에 빨간 음식을 거부할 수 없다. 떡볶이, 닭발, 순대곱창, 김치찌개, 오돌뼈, 매운 족발, 매운 치킨, 매운 라면...... 나열하면 끝도 없다.

식욕이 기승을 부리면 당연히 살도 함께 찐다. 정확한 키로 수를 재본 적은 없지만, 나를 포함한 많은 여자들이 생리전에 적게는 1~2킬로그램에서 많게는 3~4킬로그램까지도 찐다. 살이 찌면 자기 스스로가 그 사실을 가장 먼저, 가장 민감하게 눈치챈다. 몸부터 무거워지고 속이 더부룩해지기 때문이다. 하지만 많은 사람들은 그 사실을 자주 잊어버리는 것 같다. "어, 너 살쪘네"라고 굳이 지적하는 것을 보면 말이다. 그런 말을 들으면 또 마음속에 핵폭탄이 떨어지고 순간 머리로 피가 몰리며 분노가 치솟지만, 또 애써 억누른다. 그런 사람들은 아무리 기분 나쁜 티를 내도 남의 외모를 지적하는 버릇을 잘 못 고친다. 정신을 놓고 닥치는 대로 폭식한 뒤에 나를 혐오하며 후회하는 날들이, 또 일주일간 지속된다.

달마다 격변하는 주기를 감내해야 하는 여성의 몸은 안정적으로 몸무게를 유지하기 힘들다. 호르몬이 날뛰면 살이 찔 수밖에 없다. 대부분의 여자들은 생리 전에 살이 찌고 생리가 시작되면 다시 살이 빠진다. 여성에게 더욱 엄격한 미적 잣대를 들이대는 이 사회는 어쩌면 딱 그 반대가 되어야 하는지도 모른다. 나는 정신건강을 위해 PMS 기간에 살에 관한 스트레스를 최대한 받지 않으려 노력한다. 주위에서 지적질만 하지 않는다면 말이다. 실제로도 내 체형에 만족하고 사는 편이다. 살이야 찌면 찌고 빠지면 빠지는 것 아니겠는가. 하지만 문제는 생리 전에 무엇을 먹느냐에 따라 생리 중 고통의 정도가 정해진다는 점이다. 생리 전에 너무 맵고 기름진 음식이나 몸에 좋지 않은 인스턴트 음식을 많이 먹으면, 확실히 생리 기간에 더 심한 생리통을 경험하게 된다. 한번은 PMS와 시험 기간이 겹쳐 평소에는 입에도 대지 않는 커피를 일주일 내내 마시고 밤낮이 바뀐 생활을 했더니, 생리가 시작됐을 때 거짓말 하나 보태지 않고 정말 죽는 줄 알았다. 평소보다 두세 배는 심한 생리통 때문에 시험 공부도 잘하지 못하고 고생을 한 뒤부터는 커피는 최대한 자제하는 편이다. 그러나 내 의지로 자제할 수 없는 경우도 있다. 예를 들어, 생리 전에 중요한 프로젝트가 시작되어 잠을 자지 못하고 수면 습관이 엉망이 되면 모든 PMS 증상이 몇 배는 악화될 뿐 아니라, 생리가 시작되면 나의 과거를 단죄받는 기분으로 몇 배는 더 고통스러운 생리통에 시달려야 한다. 그럴 때면 억울해질 수밖에 없다. 왜 고생은 같이 했는데 나 혼자 이렇게 아픈 거지? 다 같이 잠 못 자고 건강에 해로운 음식만 먹었는데, 왜 내 몸만 이렇게 민감하게 반응하는 거지? 내가 뭘 그렇게 잘못했다고 포궁은 날 이렇게 괴롭히는 거지? 억울함에 끝없는 질문이 솟아오르지만 마땅한 대답을 내릴 수는 없다. 어쩔 수 없는 거겠지. 그렇게 받아들이려고 애쓸 뿐이다.

내 가슴에 자유를!
D-6

　배란기 때는 호르몬의 영향으로 가슴이 부푼다. 몽우리가 단단하게 잡히며 부풀어 오르는 바람에 조금이라도 압박을 가하면 아프고, 찌릿찌릿한 가슴 통증이 엄청나게 심할 때도 있다. 또한 살이 찌면 자연히 가슴에도 살이 붙게 되어 있다. 안 그래도 호르몬 때문에 부풀어 오른 가슴에 살까지 붙으면 평소에 입던 브래지어가 더는 맞지 않게 된다. 또한 이맘때쯤에는 유두가 매우 예민해져서 꽉 끼고 불편한 속옷을 입으면 하루 종일 신경 쓰여 다른 일을 할 수가 없다. 평소에는 거기 달려 있었는지도 잘 몰랐던 유두가 생리 전만 되면 그곳에 존재하는 감각 세포가 죄다 살아나기라도 하는 듯 민감해진다. 여러모로, 생리 전에는 가슴이 민감해져서 브래지어가 불편하다. 생리가 다가올수록 가슴이 점점 부풀고 유두가 예민해져 옷깃에 스치기만 해도 딱딱하게 굳으며 바짝 서서 불편하기 짝이 없다. 오늘은 몸을 틀 때마다 유두가 쓸려 피가 날 것만 같은 굉장한 고통이 밀려왔다. 차라리 젖꼭지가 떨어져 나가버리길 바랄 정도로. 그 조그만 살덩이에 어째서 그리도 무지막지한 고통의 신경이 응축되어 있는지 모르겠다.

예전에는 배란기 때 입을 브래지어를 한 치수 큰 것으로 구비해두곤 했다. 하지만 내 가슴에 잘 맞고 편안한 와이어 브래지어를 찾는 일은 쉽지 않았다. 평균보다 큰 가슴 때문에 일반 속옷 매장에 가면 내 사이즈가 없어 주문 제작을 해야 하는 경우가 대부분이었고, 그럴 경우 가격이 꽤 비싸진다. 값싼 브래지어를 구입하면 사이즈가 잘 안 맞거나 가슴을 너무 조여 불편하다. 그뿐 아니라 싸구려 와이어 브래지어는 세탁기에 한 번 돌리면 와이어가 뒤틀려서 버려야 하는 경우도 많다. 내 가슴 사이즈에 잘 맞고 품질이 좋은 브랜드 브래지어를 사려면 최소한 브래지어 하나에 십만 원 정도는 써야 한다. 학생인 나로서는 매우 부담이 되는 가격이었다. 매일 같은 브래지어만 착용할 수는 없으니, 평소에 입을 브래지어 두어 개, 생리 전에 입을 한 치수 큰 브래지어 두어 개를 사려면 아르바이트를 해서 번 돈을 몇 개월 치는 모아야 했다. 게다가 브래지어를 한 번 산다고 영원히 입을 수 있는 것은 아니기 때문에 계속해서 지출은 커져만 갔다.

와이어 브래지어의 해악은 이뿐만이 아니었다. 브래지어를 착용한 상태로 식사를 하면 위 압박 때문에 소화가 잘 안 될 때가 많았다. 평소에 가슴 밑 명치를 꾹 누르면 너무 아파서 눈물이 찔끔 날 정도로 그 부분이 늘 뭉쳐 있었다. 만성 소화 불량이었던 셈이다. 또한 가슴 부근의 혈액순환이 잘 안 돼서 늘 가슴이 답답하고 아팠다. 여름에는 억센 브래지어 끈이 땀에 절어 살을 파고들며 상처를 내기도 했다.

가슴이 크면 불편한 점들이 너무 많다. 우선 앞서 말했듯, 브래지어로 인한 지출이 상상을 초월한다. 속옷 할인이나 프로모션을 할 때도 내 사이즈는 배제되는 경우가 많다. 뛸 때 가슴이 흔들려서 아픈 건 당연하고, 옷을 살 때도 가슴 사이즈 때문에 제한이 많다. 일상생활에서 거추장스럽고 불편한 것도 당연하고. 어쨌든, 가슴이 커서 좋을 건 별로 없다. 하지만 여자애들은 늘 내 가슴을 부러워했다. 여고를 다닐 때에는 만인의 가슴이 되어 옆반 친구들까지 와서 "네가 그 가슴 크다는 애야?"라고 묻기도 했다. 모두가 내 가슴을 부러워하니, 그럴 때면 왠지 모르게 우쭐한 기분이 들곤 했다. 하지만 언젠가부터 의문이 생겨났다. 큰 가슴이 왜 좋은 걸까? 일상생활에서는 불편한 것들 천지인데. 나는 불편해도 남자가 좋아하니까 큰 가슴이 좋은 걸까? 나는 가슴이 크기 때문에 처지지 않으려면 꼭 브래지어를 잘 착용해야 한다던 할머니의 말씀이 떠올랐다. 왜 가슴이 처지면 안 되지? 여성의 가슴이 크고 봉긋해야 한다는 기준은 누가 만들었지? 모르긴 몰라도 여자가 만들진 않았을 것이다. 딱히 가슴이 크다고 여자한테 좋을 건 없으니까. 언젠가부터 더는 남자를 위해 내 가슴을 가꾸고 싶지 않았다. 어마어마한 돈을 써가며 내 가슴 모양을 예쁘게 잡아줄 와이어 브래지어를 계속 사고 싶지도 않았고, 소화불량을 감수하면서까지 브래지어를 꽉 조이며 차고 다니고 싶지도 않았다. 가슴이 처지든 말든, 크든 작든 나는 별로 상관이 없었다. 시간이 지나며 살이 처지는 건 당연한 이치다. 그건 꼭 가슴뿐이 아니라 우리 몸의 모든 살과 근육에 해당하는 이야기다. 나는 굳이 바득바득 애를 써가며 노화를 거스르는 사람이 되고 싶지는 않았다. 내 관심사는 그런 쓸데없는 곳에 있지 않았다.

그래서 고등학생 때 종종 노브라로 학교에 갔다. 특히 시험 기간 때는 가슴을 조이는 브래지어에 주의를 뺏기고 싶지 않아 꼭 노브라로 갔다. (사실 '노브라'라는 워딩도 참 별로다. '브라'가 디폴트라는 식의 언어니까. 최근에는 '탈브라'라는 워딩을 쓰기도 한다.) 동복이나 체육복을 입거나, 민소매를 안에 받쳐 입으면 별로 티 나지도 않았다. 티 나더라도 어쩔 수 없고. 내 몸을 내 마음대로 하고 다닌다는데 누가 나한테 뭐라고 할 텐가? 브래지어를 차지 않고 학교에 가면 여자애들은 기함했고 귀찮은 속바지 같은 것을 입지 않고 교정을 활보하자 모르는 옆 반 여자애까지 나한테 와서 팬티 좀 조심하라고 했다. 치마를 입을 건데 왜 굳이 속바지를 챙겨 입어야 하지? 그럴 거면 그냥 바지를 입지. 치마 안에 굳이 더 짧은 바지를 입는다는 발상은 내게 기이하고 이상해 보였다. 속바지를 입는 이유는 누군가 내 치마 속을 훔쳐볼까봐 방지하는 차원이 아닌? 그건 내가 조심해야 할 일이 아니라 훔쳐보는 사람이 시선 관리를 잘해야 할 일이다. 하지만 여학생을 위한 교복 바지에 또다시 지출할 수는 없었고 나에게는 치마 교복밖에 없어서, 나는 대부분 체육복 바지를 입고 다녔다. 그것도 교문은 치마를 입고 통과한 후 교실 사물함에서 체육복 바지를 꺼내 바꿔입는 식으로. 복도에서 저 멀리 학생주임이 보이면 체육복 바지 입었다고 혼날까봐 도망다니면서. 지금 생각해도 참 쓸데없고 기괴하기 짝이 없는 문화다.

하루는 평소와 같이 브래지어를 안 하고 학교에 가는 중이었다. 아침에는 내가 다니던 여고와 근처 남고에 다니는

학생들이 버스에 꽉 차서 늘 만원이었다. 그때 갑자기 유두 부분에서 이상한 감각이 느껴졌다. 처음에는 아무 생각이 없었다. 무의식 중에 몇 번 쳐냈는데도 계속 요상스런 감각이 남아 있었다. 그게 무엇인지 알아차리기까지 꽤 오랜 시간이 걸렸는데, 문득 옆을 보니 웬 남학생이 내 유두 부분을 손끝으로 건드리고 있었다. 평소에는 성추행을 당하면 고래고래 소리를 지르며 그 남자를 반 죽여 놓을 것이라고 호언장담했지만, 막상 당하면 패닉이 온다. 그 남자 쪽으로 고개도 돌릴 수 없었다. 꼼짝없이 굳은 상태로 상체를 조금 돌려 피하기를 몇 번 반복하자 결국 그 남자는 그만두었다. 그때 나는 그 상황을 머릿속으로 잘 이해하지 못했다. 버스에서 내리고 나서야 깨달았다. 아, 나 성추행 당했구나. 처음에는 너무 놀라고 당황해서 아무 생각이 들지 않았다. 그다음에는 무서워서 눈물이 났고, 그다음에는 분노가 치솟았다. 그 남자를 향한 분노보다도, 제대로 대처하지 못한 나를 향한 분노였다. 왜 그때 소리를 질러서 이목을 집중시키지 못했을까. 왜 그 새끼의 눈을 똑바로 쳐다보며 지금 뭐하는 짓이냐고 말하지 못했을까. 이 정도 일로 경찰에 신고했다면 무슨 조치를 취해주기는 했을까? 하지만 그놈이 내유두를 만졌다는 걸 어떻게 증명하지? 그놈이 입 싹 닫아버리면 끝 아닌가? 무력감이 온몸을 지배했다. 그 일이 있고 나서는 더 이상 노브라로 다니지 않게 되었다. 노브라로 밖에 나가면 또 다른 누군가가 내 가슴을 뚫어지라 쳐다보며 성추행할 것만 같았다. 그렇게 세상을 향한 나의 노브라 시위는 끝이 나는 줄 알았다.

하지만 나는 그 일이 내 잘못이 아니라는 걸 안다. 그때도 알았고, 지금은 더 잘 안다. 나는 여성에게 브래지어를 착용하거나 착용하지 않을 권리가 있으며 누구도 그것을 빌미로 여성의 인격을 모독할 수 없다는 걸 안다. 내가 억울하게 당한 일에 대해 더는 내 탓을 하지 않아도 된다는 사실 역시 알게 되었다. 내가 브래지어를 하든 안 하든, 몸에 딱 붙는 옷을 입든 안 입든, 성추행과 성폭행은 누구에게나 일어날 수 있는 일이다. 그건 나의 문제가 아니라 가해자의 문제다. 피해자에게 책임을 떠넘기며 2차 가해를 할 것이 아니라, 가해자를 벌주어야 하는 문제다. 세상이 바뀌어야 한다. 내가 바뀔 것이 아니라. 그래서 이제는 브래지어를 하지 않는다. 굳이 브래지어로 가슴을 압박하며 갑갑하게 가둬놓고 싶지 않다. 얼마나 편한지 모른다. 브래지어를 착용하지 않은 이후로는 가슴 밑의 명치를 꾹 눌러도 아프지 않고, 소화가 확실히 잘 된다. 가슴이 답답한 흉통이 사라진 것을 보면 혈액순환도 잘 되는 것 같고, 몸이 한결 가벼워졌다. 생리 전에 기승을 부렸던 가슴 통증도 거의 사라졌다.

왜 남성의 유두는 아무렇지 않게 노출할 수 있는 반면 여성의 유두만 검열의 대상일까? 아직 부풀어 오르지 않은 영유아 여성의 유두는 괜찮고, 수유하는 여성의 유두는 괜찮다. 여유증으로 부풀어 오른 가슴도 남자의 것이기 때문에 괜찮다. 대체 검열의 기준이 무엇인가? 여성의 유두는 누가, 왜, 어떤 기준으로 검열하는가? 왜 여성의 유두만 야하고 부끄럽고 감춰야 하는 것이지? 왜 남자들은 입지 않는 불편한 브래지어를 여자들만 착용해야 하는 건지 의문을 가지기 시작하자, 모든 여성용품과 여성용 의복에 의문이 생기기 시작했다.

왜 여성용 팬티는 외음부를 압박하고 조이는 형식의 삼각팬티일까? 왜 여자들은 사각팬티를 입어볼 기회조차 가지지 못했을까? 너무 꽉 조이고 통풍이 안 되는 재질의 팬티는 질염을 유발할 수 있으며 당연히 생식기 건강에 좋지 않다. 하지만 많은 여성용 팬티들은 예뻐 보이기 위한 목적으로 통풍이 잘 안 되는 재질에 불편한 리본과 레이스가 주렁

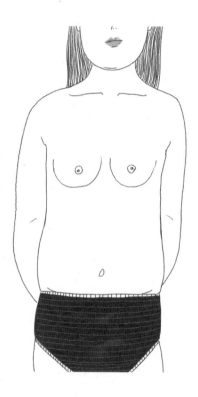

주렁 달려 있고 기본적으로 작은 사이즈만 나온다. 팬티스 타킹 역시 자주 착용할 경우 통풍이 안 되고 습기가 제거되지 않아 방광염의 위험성이 높아진다. 비키니 역시 기이해 보였다. 왜 남자들은 유두를 마음껏 노출한 채 사각팬티만 입고 나다닐 수 있는데, 여자들은 중요 부위를 아슬아슬하게 가린 섹시한 비키니를 입어야 할까? 비키니 라인을 따라 제모해야 하는 이유도 너무 꽉 끼고 파인 삼각형 팬티 라인 때문이다. 왜 여자들만 그러한 수고를 감내해야 할까? 네일은 또 어떻고. 손톱과 발톱을 혹사하는, 건강에 절대 좋을 리 없으며 불편하기 짝이 없는 네일아트는 왜 여자들만의 전유물일까? 화장은 또 어떠한가. 반영구 아이라인이나 속눈썹 연장이나 속눈썹 파마 등은 눈 건강에 매우 치명적이다. 시중에서 파는 대부분의 색조 화장품들은 피부 건강에 결코 좋을 리가 없으며 피부염을 유발할 수도 있다. 하이힐은 또 어떠한가. 발과 발목 건강에 치명적이며 심할 경우 발가락 변형이나 관절염, 허리디스크를 유발할 수 있는 하이힐은 왜 여자들만 신을까? 왜 여성의 유두만 검열의 대상일까? 왜 여자들은 털 자국 하나 남지 않은 깨끗한 겨드랑이를 위해 돈과 노력과 시간을 들여야 할까? 왜 치마를 입을 때면 다리털을 모조리 미는 귀찮은 짓을 해야만 할까? 바람이 불어 뒤집어지면 속이 보일까봐 주섬주섬 가려야 하는 불편한 미니스커트는 어떻고? 혈액순환을 방해하는 꽉 끼는 스키니진이나 배를 드러내는 크롭탑, 활동을 제한하는 불편한 오프숄더는? 생리용품은 또 어떠한가! 여성 건강에 치명적인 유해 물질이 가득한 생리용품을 아무런 의심 없이 지금껏 모두가 써오지 않았던가. 사회가 여성에게 요구하는 비현실적인 미적 기준은 여성 스스로가 코르셋으로 온몸을 조이게 했다. 코르셋은 불편하고 폭력적이며 그 무엇보다도 여성 건강에 치명적이다. 지금껏 사회에서 다뤄져 온 여성에 대한 관심은 뷰티, 육아, 요리 등이 전부였고 여성 건강에 대한 이슈가 크게 화제가 된 적은 별로 없었다. 우리를 둘러싸고 있는 여성용품이 죄다 여성의 건강을 심각하게 위협하고 있음을 인지해야만 한다. 탈코르셋은 사회적 여성성에 균열을 내기 위한 정치적 운동이지만, 건강과 관련된 문제이기도 하다. 가부장제 사회 속 여성은 종종 자신의 건강을 위협하면서까지 코르셋을 뒤집어쓰기 때문이다. 월경 역시 마찬가지다. 월경 터부는 사회적 여성성의 강요이면서 동시에 여성 건강과 직결된 문제다.

그러니 일단 우리의 가슴을 답답하게 옥죄는 브래지어부터 벗어 던지자. 당신의 호흡이 달라질 것이다. 삶이 달라질 것이다. 브래지어 없는 세상은 아름답다. 당신의 가슴에 자유를 주길!

#Free the nipple!

성 해방
D-5

   내가 평소에 억눌러오던 욕구에는 식욕만 있는 것은 아니다. 배란기에는 성욕도 함께 기승을 부린다. 평소에는 달리 성욕이랄 것이 없다가, 생리 일주일 전쯤 되면 마치 거짓말처럼 내 몸을 다른 누군가에게 점령이라도 당한 듯 성욕이 폭발하기 시작한다. 한 번 성욕이 봇물 터지듯 풀려나면 이때도 나는 호르몬의 명령에 순순히 따르는 수밖에 없다.

   한국에서 여성의 섹슈얼리티는 재생산(번식)의 필요와 떨어질 수 없고, 온전한 성적 욕망을 실현하는 '자위 행위'는 공공연하게 남성에게만 허용되어 있다. 여성혐오 사회에서 여자는 무성욕자처럼 행동해야 한다. 하지만 놀랍게도, 여자에게도 성욕이 있다! 그것도 아주 많이! 특히 나는 달마다 도저히 감당할 수 없는 수준의 성욕을 경험한다! 이럴 때 가장 좋은 해결책은 자위라는 것을 하는 것이다.

   남자들은 아주 당연하게도 그들 모두가 자위를 한다는 사실을 세상 모두가 이미 알고 있고 이해해줘야 하는 것처럼 행동하고 말한다. 반면 여자들은 여자끼리 있을 때도 이런 이야기를 잘 꺼내지 않는다. 생각보다 많은 여자들이 자위를 하지만, 동시에 그중 대다수가 자위를 할 때 자신이 비도덕적이고 천박한 사람이라도 된 것처럼 자기 검열을 하고 죄의식을 가진다. 성기를 만지거나 들여다보는 행위 자체에 죄의식을 가지는 여자들도 여전히 많다. 어떤 여성은 자위를 너무 많이 하면 성기의 색이 변색될까봐 걱정하기도 한다. 한번 손가락을 들어 반대쪽 팔목 부분을 오랫동안 세게 문질러보자. 그 짓을 한 닷새 정도 계속해보자. 그 부위가 검어질까? 변색될까? 그럴 리가 없다. 자위나 섹스가 여성 성기의 모양이나 색에 영향을 미치는 경우는 아주 미미하다. 당연히 과학적 근거가 없는 유언비어다. 하지만 사실 이러한 유언비어들은 여성혐오에 그 근거를 두고 있다. 경험이 많고 문란한 여자는 성기가 늘어지고 색이 검어진다는 유언비어. 여자는 성적으로 순수해야 하고, 정결해야 하고, 조신해야 하고, 성적 욕망을 추구해서는 안 되고, 순결함을 보존하여 남자에게 처녀성을 바쳐야 한다는, 너무도 낡아 아무도 설득되지 않을 것만 같은 고루한 이야기지만 놀랍게도 아직도 우리의 무의식 속에 잠재된, 여성혐오. 이런 사회에서 여자들은 소음순 미백을 고민하고, '처녀막(질막)' 재건 수술을 받고, 일명 '이쁜이 수술'로 불리는 질 축소술을 감행한다. 얼마나 기형적인 사회인가.

여성에게도 성욕이 있고, 여성도 자위를 한다. 여성도 성호르몬을 가진 똑같은 인간이다. 이 당연한 상식을 세상에 이해시키기 위해 또 얼마나 오랜 변화의 시간이 걸릴지 모르겠지만, 그리하여 나는 쓴다. 나는 생리 전에 성욕이 들끓을 때면 자위를 한다. 당연하게도, 성욕이 있다고 아무나랑 관계를 하고 싶은 건 아니다. (나는 눈이 아주 높다!) 애인이나 파트너가 있을 때면 성관계를 하겠지만, 애인이 있더라도 성관계보다 자위가 좋을 때도 있다. 이 세상에 자위처럼 건강하고 안전하고 성숙한 방식의 성관계는 없다. 자위는 나와의 관계를 맺는 것이고, 나의 몸을 탐색하고 들여다보고 쓰다듬어주는 시간이며, 나를 더 사랑하는 시간이다. 여자는 남자처럼 한 번 사정하면 끝나는 게 아니라서 자위는 한 시간이 될 수도, 두 시간이 될 수도, 하루 종일 지속될 수도 있다. 방법도 아주 다양하다. 클리토리스를 자극하는 방식, 질 내에 손가락이나 기구를 삽입하는 방식, 음부를 압박하는 방식 등 각자 다양한 방법으로 다양한 기구를 활용해 자위를 한다.

가장 오래된 기억 속, 내가 처음으로 자위를 시작한 때는 아직 초등학교도 들어가기 전이거나 초등학교 저학년 즈음 이었던 것 같다. 어쩌다 보니 우연히 성기를 어떻게 만지면 기분이 좋다는 사실을 알게 되었다. 그때는 자위라는 개념 도 몰랐고, 그게 성적인 행위일 줄은 더더욱 몰랐다. 그저 팔꿈치를 어떻게 만졌더니 기분이 좋더라, 와 같은 수준의 일상적인 일이라고 생각해서 심지어 사촌 언니에게 알려준 기억이 있다. 언니, 여기를 이렇게 만지면 기분이 좋아. 신 기하지?

그날의 기억이 이렇게도 오래 남아 있는 것을 보면, 기분 이 진짜 좋긴 좋았나 보다. 그 후로 나는 중학교 즈음부터 자위라는 행위가 무엇인지 인식하고 자위를 시작했던 것 같 다. 예전에는 자위를 하고 나면 지독한 수치심과 후회, 자 기혐오, 죄책감 때문에 자주 우울해지곤 했다. 심지어 자위 하고 있으면 마치 판옵티콘에 수감이라도 된 것처럼 왠지 모르게 누군가가 나를 감시하고 있는 듯한 기분이 들었다. 하다못해 저 하늘 위에서 신이라도 나를 내려다보고 있지 않겠는가. 하지만 지금은 '신이여, 볼 테면 봐라!'라는 심정 으로 자위를 한다. 내가 내 것 좀 만지겠다는데 뭐가 문제인 가. 적절한 방식으로 성욕을 해방하는 일이야말로, 성욕에 지배받지 않고 내가 성욕을 통제할 수 있는 길이다. 성욕을 통제한다는 것은 성욕을 억누르고 금기시하는 게 아니라, 몸의 욕구를 건강하고 자연스럽게 받아들이고 안전하게 해소하는 것이다. 그러니 다들 손을 들어 팬티 안에 집어넣어 보자. 내가 어떤 방식으로 어디를 만져야 쾌감을 느끼는지 오랜 시간과 노력을 들여 탐색하자. 내 성기는 애인도 다른 누구도 아닌 내가 가장 잘 알아야 한다. 내 몸을 가장 잘 아는 사람은 나여야만 한다. 성욕을 느낄 때마다 욕구를 해소해줄 다른 누군가를 찾아야만 한다면 그건 참 슬픈 일이다. 나는 자위를 할 때 가장 큰 쾌감과 충만감을 느낀다. 그리고 그건 자연스러운 일이다. 내 몸을 가장 잘 아는 사람은 나이기 때문이다. 그러니 성기에 자유를 주고 적극적으로 사랑해주자. 나의 성을 해방하자! 그리했을 때 나는 비로소 나의 몸을 진정으로 사랑할 수 있게 되었으니까.

자기혐오
D-3

이때쯤의 나는 난폭하게 쏟아지는 호르몬의 폭풍우 속에서 몸을 가누고 제자리에 서 있는 것만으로도 버겁다. 나의 생리 기간은 늘 불규칙적이기 때문에 정확히 며칠에 생리가 시작될지는 알 수 없다. 하지만 삼 일 전쯤 되면 언젠지는 몰라도 곧 며칠 이내에 생리를 하리라는 것만은 짐작할 수 있다. 온몸이 내게 신호를 보내기 때문이다. 곧 생리가 터질 것이라고.

이때쯤 되면 나는 불가항력적으로 잠이 많아진다. 아무리 잠을 많이 자도 계속 피곤하고 마치 비 오는 날처럼 온몸이 축축 늘어진다. 가슴과 허리께에 아릿한 통증이 지속되고, 고삐가 풀린 식욕과 성욕이 더더욱 날뛴다. 입과 턱 주위에 울긋불긋하게 돋아난 여드름은 볼까지 옮아가고 머리카락은 푸석푸석해지며 살이 쪄서 평소에 입던 바지 버클을 채우기가 버겁다. 그러나 그 무엇보다 견디기 힘든 것은, 이제는 너무도 가까이 다가와 그 실체가 명확해진, 나를 묶어놓고 사방에서 조여드는 우울감이다.

PMS 기간에 느끼는 우울감은 그때마다 늘 다르지만, 이번에는 지겨운 자기혐오의 방식으로 다가왔다. 거울을 보고 서 있자니 나의 온몸이 선명하게 보였다. 커질 대로 커져 답답하게 부풀어 오른 가슴과 축 늘어진 뱃살. 언제나 신경 쓰이는 팔뚝, 그래서 잘 입지 못하는 민소매. 통통한 허벅지살과 엉덩이 때문에 꽉 끼는 바지. 근래에 살이 쪄서 불어난 볼살과 턱살. 잔인하게도 계속 돋아나는 커다란 여드름들. 곧 터질 것처럼 부풀어 오른 노란 고름들, 이제 막 생겨나기 시작한 붉은 뾰루지들, 이미 터져서 말라붙은 검붉은 자국들. 거칠거칠해진 피부결과 모공, 자도 자도 피곤해 더욱더 깊어지고 어두침침해진 다크써클. 이 모든 부분들이 세세하게 눈에 담겼다. 그 모든 생김새가 나의 마음을 잔인하게 난도질했다.

못생겼다.

거울에서 눈을 뗐다. 혐오스러웠다. 나처럼 못생긴 사람은 또 없을 거야. 나는 왜 이렇게 생겼지? 나는 왜 이렇게 지독하고 지긋지긋한 PMS 기간을 보내야 하지? 나는 왜 이렇게 늘 불안정한 감정의 주기를 버텨내야 하지? 나 같은 사람이 과연 가치 있는 사람일까? 사랑받을 만한 사람일

까? 이 세상에 나를 진짜 좋아해주는 사람이 있긴 할까? 쓸데없는 질문임을 알면서도, 내 안의 깊은 곳에서부터 솟아오르는 자기혐오를 멈출 수 없었다.

그 순간 문득 나는 이 세상에 혼자 덩그러니 놓여 있는 기분이 들었다. 내가 발 딛고 서 있던, 악착같이 붙들고 있던 모든 기반이 와르르 무너지는 것 같았다. 그 모든 것들은 허깨비에 지나지 않는다고, 나를 비웃듯이. 이 세상 어디에도 속하지 못하고 어디로도 연결되지 못한 사람이 바로 나였다. 외로웠다. 외로움에 뼈가 시렸다. 나를 위로해줄 사람이 있을까. 나를 이해해줄 사람이 있을까. 홀로 되는 일이 사무치게 두렵고 불안했지만 누군가에게 손 뻗기는 더 무서웠다. 답하지 못한 질문들이 또다시 우르르 쏟아졌다. 해결되지 못한 트라우마가 또다시 몸집을 키웠다. 어쩌면 달라질 수도 있었을 모든 것들, 이미 지나가버린 모든 관계들이 물밀듯 밀려와 나를 집어삼켰다. 그때 왜 나는 그렇게 말했을까. 그때 왜 나는 그렇게 말하지 못했을까. 그때 왜 그 애는 나를 떠나갔을까. 그때 왜 나는 그 애를 떠나갔을까. 그때 왜 엄마는 나에게 그렇게 말했을까. 그때 왜 나는 왜 엄마에게 그렇게 말했을까. 그때 왜 나는 더 솔직하지 못했을까. 그때 왜 나는 더 신중하지 못했을까. 왜. 왜. 왜.

덮어둔 모든 상처가 다시 아프게 일어섰다. 나는 머저리가 틀림없다. 나처럼 이기적이고 바보 같고 멍청하고 게으른 애는 또 없을지도 모른다. 아니, 분명하다. 나는 별로인 인간이다. 나는 왜 이런 사람이 되었을까. 이렇게 살고 싶지는 않았는데. 나같이 별로인 사람의 미래는 뻔하지 않을까. 그냥 이렇게, 의미 없는 삶의 굴레에서 벗어나지 못한 채 재미없게 살다가 이대로 죽어버리지 않을까. 미래가 고통뿐이라면 나는 굳이 이 모든 것들을 견뎌내며 왜 계속 살아가야만 할까. 이런 비관적인 생각들을 멈출 수 없었다. 내 앞에 끝없이 어둡고 딱딱한 벽만이 늘어서 있는 것 같았다. 어떤 빛도 결코 뚫을 수 없는, 커다랗고 차가운 쇠벽. 그 벽들을 깨부수고 나아갈 자신이 없었다. 나에겐 그럴 만한 힘이 없다. 나는 충분히 강하지 못하다. 나를 믿을 수 없다. 부정적인 명제만이 머릿속을 가득 채웠다.

우울했다. 의심과 혐오는 동시에 왔다. 또다시 지긋지긋한 자기 의심과 자기혐오가 고개를 들었다. 이 우울감이 과연 단지 PMS 때문일까? 이토록 선명한 아픔이 오로지 호르몬의 주기 때문이라고? PMS 기간은 맞지만, 단지 그 이유만은 아닐 거야. 아니, 사실 그게 뭐가 중요할까. PMS 때문이든 아니든, 나의 감정이 호르몬에 종속된 것이든 아니든,

나는 지금 우울하고 그 우울함을 견뎌내는 것만으로도 버겁다.

배는 별로 고프지 않은데 속이 허해서 뭔가를 계속 주워 먹게 된다. 추운 날씨 때문이라고, 그렇게 그냥 계절 탓을 해버리면 속은 얼마나 편할까. 내 속을 음식이 아닌 다른 무언가로 채우고 싶어질 때, 사람들은 무얼 할까.

우울의 바다
D-2

이맘때쯤이면 나는 늘 우울의 구렁텅이로 기어 들어간다. 그동안 조금씩 파놓은 동굴로 기어들어가 문을 걸어잠근다. 그 후에는 깊고 깊은 우울의 바다 속으로 한없이 잠수한다.

나에게 우울은 무(無)에서 갑자기 솟아나는 것이 아니다. 우울은 언제나 내 주변에 그림자처럼 산재해 있다. 내가 그것들을 기민한 감수성으로 알아차리고 들여다보느냐, 혹은 그냥 지나치느냐의 문제일 뿐이다. 생리 전에는 극히 예민해진 몸의 감각들이 평소보다 나의 우울을 더 세밀하게 인식하여 감응한다.

괜찮은 척 감정을 꾹 짓누르고 친구들을 만나 웃고 떠들며, 그렇게 일주일 이주일을 지내다 오늘은 더 이상 참을 수없게 되어버렸다. 수업을 마치고 백화점을 몇 시간 동안 방황하며 맛없고 비싼 밥을 먹고, 사고 싶지 않지만 입을 것이 없어 사야 하는 코트와 가디건을 사고 집에 돌아왔는데, 마

음이 너무 허망했다. 한바탕 울어버리고 싶은데 눈물도 쉽게 나지 않아 침대에 쪼그려 앉아서 슬픈 시를 읽고 눈물 한 방울 질끔, 우울한 노래를 들으며 또 눈물 한줄기를 주룩 흘렸다.

나는 혼자서는 제대로 울지도 못한다는 사실을 알게 되었다. 사람들 앞에서 잘 울지 못한다는 것은 익히 알고 있었다. 내 감정을 타인에게 내보이는 일을 극도로 두려워하기 때문이다. 영화를 보거나 책을 읽을 때는 잘만 울면서, 사람들과 함께 있을 때는 나를 제외한 모두가 울어도 나는 울수 없었다. 마치 나를 향한 눈동자들이 내 눈물샘을 단단히 잠가 놓은 것처럼. 그런데 혼자 있을 때조차 울지 못할 줄은 몰랐다. 울기 위해 영화든 음악이든 책이든, 무언가 매개체가 필요했다. 외부의 무언가에 투영해서만 눈물을 흘릴 수 있는 내가 참 가여웠다. 나는 혼자 있을 때도 나에게 솔직할수가 없구나. 가엾다.

그렇게 가만히 방 안에 앉아 있다가 문득 나라는 존재가 너무 낯설고 새삼스러워졌을 때, 나는 홀로 앉아 있던 방에서 입 밖으로 소리내어 Y야, 라고 내 이름을 불러보았다. 그 순간 걷잡을 수 없이 눈물이 터져나왔다. 몇 분을 아이처럼 소리내어 엉엉 울었다. 내 혀에 올려본 나의 이름, Y야,

이 이름이 이렇게 불리우기만을 난 오래도록 기다렸나보다. 내 이름을 불러주는 나의 목소리가 너무 따뜻해서, 그래서 아주 오래도록 엉엉 울었다.

한바탕 울고 난 뒤, 낯설도록 성큼 커버린 나의 몸뚱이를 찬찬히 들여다보았다. 나의 팔뚝에 자라난 털 중 가장 작고 가는 털 한 가닥, 그 털이 오소소 일어났다가 가라앉는 모양새를 살펴보았다. 나의 손을 잡았다. 다섯 손가락으로 나의 손등을 쓸고 팔목을 쓰다듬어 보았다. 나의 손톱을 어루만졌다. 그 손톱이 너무 작고 붉어서, 난 또다시 울고 말았다. 나에게 이런 손톱이 달려 있다는 사실이 너무 신기해서, 나는 오래도록 울었다.

눈이 얼굴 앞에만 달려 있다는 사실이 새삼스러워졌다. 나는 영원히 내 얼굴을 실제로 보지 못할 것이다. 내가 어떻게 울고 또 어떻게 웃는지 내 눈으로 볼 수 없을 것이다. 다른 무엇인가에 비추어서만 볼 수 있겠지. 그래서 우리는 연애를 하고 아이를 낳고 거울을 본다. 하지만 나의 손톱은 볼 수 있다. 그것도 아주 가까이서. 나의 이 작은 손톱이 자라나고 잘려나가고 또다시 자라나는 모양을 지켜볼 수 있다. 내가 늙고 추해져도 이 손톱은 오래도록 작고 붉겠지. 그 사실이 슬퍼서, 그래서 난 오래도록 울었다.

윤상의 노래를 듣고 한강의 시를 읽으며 버티고 있다. 아니, 버틴다는 표현은 좋지 않은 것 같아.

우울의 시간을 '지내고' 있다. 내 몫의 괴로움은 내 것. 나는 나의 우울도 사랑하기로 마음먹었기 때문에, 이 우울을 축소하지도 무시하지도 과장하지도 않고 있는 그대로 지내려고 한다. 나이를 먹으며 단 하나 깨달은 것이 있다면, 언젠가 어둠은 걷히고 빛이 찾아온다는 보편의 진리. 그렇기에 난 지금의 어둠 뒤에 다가올 찬란한 빛을 기다리며, 지금을 속속들이 살아가리라.

충동
D-1

아침에 눈을 뜨자마자 묵직한 우울감이 해일처럼 밀려왔
다. 몸이 무겁고 축축 처지는 느낌에 밖에 비가 오나 살폈지
만 멀쩡했다. 배가 고파 간편하게 점심을 휘리릭 해먹었다.
배 속이 충만한 느낌은 들지 않는다. 생리 전에는 식욕이 기
승을 부려 밑 빠진 독에 물 붓듯이 먹어도 먹어도 배 속이
공허하다. 자제력을 잃고 먹다 보니 살도 정도를 모르고 계
속 찐다. 거울을 보기가 싫다.

얼굴이 화끈화끈 달아올랐다. 생리 전에 난리를 부리며
뒤집어지는 피부는 호르몬 탓이 가장 크겠지만, 얼굴에 자
꾸 열이 몰려서 그런 것 같기도 하다. 왜 그런지는 잘 모르
겠다. 얼굴이 홧홧하고 아팠다. 거울을 보지 않아도 내 얼
굴이 벌겋게 달아오른 것쯤은 알 수 있었다. 거울을 보기가
싫다.

기분이 한없이 축 처져서 도무지 밖에 나갈 에너지가 생
기지 않았다. 물 먹은 솜처럼 침대 위에 무겁게 널브러져 있

기를 몇 시간 째, 방에 콕 처박혀 있으니 우울감은 더 기승을 부린다. 그 와중에도 성욕은 스멀스멀 고개를 든다. 아무것도 안 했는데 그냥 제 혼자 그런다. 호르몬이 혐오스럽다. 지긋지긋하다.

분명 오래 잤는데도 피곤함이 가시질 않았다. 열 시간은 잔 것 같은데. 생리가 가까워질수록 잠이 기하급수적으로 많아진다. 쨍한 햇빛 아래서 눈을 깜빡일 때마다 스파크가 튀었다. 귓가에서는 출처를 알 수 없는 노이즈가 지직거리는 것 같았다. 말을 해도 목소리가 앞으로 나가지 않고 내 몸속에서 웅웅 울렸다. 뭔가 질에서 나오는 느낌이 들어 화장실에 가서 확인해봤지만, 그냥 냉이었다. 허탈했다. 장마철도 아닌데 온몸이 물에 젖은 듯 추욱 늘어지고 다리에 힘이 하나도 들어가질 않았다. 다리를 질질 끌며 겨우 걸었다. 온몸이 뻐근했다. 이제는 입맛도 별로 없고 목만 계속 말라서 물을 2리터쯤은 마셨다.

수업을 듣고 있다가, 갑자기 참을 수 없이 답답하고 숨이 막혀와서 강의실 밖으로 뛰쳐나왔다. 무언가가 내 심장 밑바닥을 끊임없이 충동질해서 도저히 저 안에 앉아 있을 수가 없었다. 바람을 좀 쐬러 건물 밖으로 나섰다. 학교에서 가장 좋아하는 벤치에 앉아 이어폰을 귀에 꽂았다. 마음이 조금 진정되었다.

요즘은 갑자기 참을 수 없는 충동이 불쑥불쑥 치밀어오를 때가 있다. 사소한 일에 화가 차오른다든가, 암담한 뉴스 기사들을 읽으며 내 일상생활을 제대로 해나갈 수 없을 만큼 분노가 치솟을 때도 있다. 충동적으로 입가에서만 맴돌던 말을 그대로 내뱉어버리기도 한다. 그럴 때면 내 말이 공기 중에 쏟아진 그 순간부터 후회한다. 그 후에 남는 것은 지독한 자기혐오뿐이다. 길을 걷다가 지나가는 사람에게 이유 없이 싸움을 걸고 싶은 충동이 일어날 때도 있다. 잔뜩 날이 선 상태로 버스를 타고 지하철을 탄다. 그럴 때면 단지 내 눈빛만으로도, 앉은 자세만으로도 시비가 붙기도 한다.

어제까지만 해도 나는 PMS의 시간도, 매달 돌아오는 우울의 주기도 겸허히 받아들이고 지금의 감정에 집중하기로 했지만 그게 정말 말처럼 쉽지는 않다. 오늘은 잠잠한 용암 같은 화가 계속 들끓었다. 억울했다. 왜 나는 이렇게 남들보다 유난히 고통스러운 PMS의 기간을 보내야만 하는 걸까. 왜 내 호르몬은 이렇게 불안정하게 날뛰어야만 하는 걸까. 나는 이런 시간을 도대체 얼마나 더 버텨야만 할까. 달마다 돌아올 이 우울의 주기를, 나는 대체 어떻게 통과해야만 할까. 도무지 끝이 보이지 않아 아득해졌다.

생리는 그런대로 참고 견딜 수 있다. 생리보다 더 엿 같은 건 생리 전이다. 이 지긋지긋한 PMS를 끝낼 수만 있다면, 지금 당장이라도 제발 생리가 터졌으면 좋겠다고 온 마음을 다해 빌었다. 제발 생리를 시작해달라고 내 포궁에 대고 빌고 또 빌었다. 더 이상은 견딜 수 없을 것 같았다. 더 이상은 나를 감당할 수 없을 것 같았다. 포궁의 신이 누군가와 내기를 걸어 내가 어디까지 무너질 수 있을지 시험하는 것이라면, 이제는 세이프 워드(safe ward)를 외칠 때였다. 더 이상은 참을 수 없었다. 더 이상은 내 안에서 불쑥불쑥 끓어오르는 충동을 다스릴 수 없었다. 이제는 끝내야 할 때였다. 더 이상은, 견딜 수 없다.

생리 터졌다!
D-Day

    오늘은 밥 먹을 시간도 없이 3연강을 듣는 날이었다. 중간 쉬는 시간에 바쁘게 다음 강의실로 이동하고 있는데, 왠지 모르게 불길한 예감이 들었다. 허리춤이 욱신거리는 것이 느낌이 싸했다. 뭔가 질에서 나온 것 같은데. 설마. 쉬는 시간이라 화장실 앞까지 길게 늘어선 줄을 참을성 있게 기다려 화장실 칸에 들어가 팬티를 확인해보니, 아니나 다를까, 생리혈이 약간 묻어 있었다.

    아, 포궁 신이여 감사합니다. 드디어 생리 터졌다! 지옥 같은 PMS에서 탈출했다. 감사는 드리는데, 이렇게 갑자기 터져버리면 저는 어찌해야 할까요. 분명히 곧 터질 생리를 대비해서 생리대 몇 개를 가방에 넣어놨던 것 같은데, 깜빡 잊고 다른 가방을 가지고 나오는 바람에 당장 쓸 생리대도 없었다. 급한 대로 화장실 휴지 뭉텅이를 팬티 안에 넣어두고 다음 수업을 들으러 갔다. 가까스로 지각을 면하고 강의실에 앉아 학교에 있는 내가 아는 모든 여자애들에게

'생리대 있어?'라는 카톡을 쭉 돌렸지만, 있더라도 시간이 안 맞거나 생리대가 없는 친구들뿐이었다. 찝찝하고 불안한 상태로 수업을 마치고 쉬는 시간에 후다닥 근처 슈퍼마켓으로 생리대를 사러 갔다. 요즘은 돈이 거의 떨어져 가서 밥 먹을 돈도 아끼는데 일회용 생리대에 오천 원을 썼다. 집에 쌓여있는 게 생리대인데. 찝찝함보다도 돈이 더 아까워서 그냥 휴지를 덧댄 채로 수업 하나만 버티고 집에 갈까 생각했지만 통학 시간이 한 시간 반이 걸리는 나에게는 무리였다. 아직 수업도 하나 남아 있는 상태였다. 이미 생리혈이 묻어 있는 팬티에 어쩔 수 없이 생리대를 덧대어 붙였다. 이렇게 또 소중한 팬티 하나가 떠나간다.

사실 밖에서 무방비한 상태로 갑자기 생리가 터졌을 때 가장 큰 문제는 생리대가 아니다. 재빨리 다음 수업을 들으러 강의실 의자에 앉았는데 슬슬 둔탁한 고통이 허리께를 타고 올라오기 시작했다. 첫날에는 생리 양도 엄청나서 거의 세 시간에 하나씩은 생리대를 갈아줘야 하지만, 그보다도 더 큰 문제는 첫날의 생리통이 상상도 못 할 정도로 어마어마하다는 점이다. 진통제는 생리통이 시작될 때 먹으면 이미 늦는다. 몸 안에서 약 성분이 퍼질 시간이 삼십 분 정도는 필요하기 때문에, 생리통이 오기 삼십 분 전에 미리 진통제를 먹어야 한다. 아픔이 슬슬 느껴지기 시작한다면 이미 늦었다. 나 같은 경우 특정한 브랜드의 진통제만 몸에 잘 들어서 꼭 그 약을 상비해두는데, 밖에서 갑자기 생리가 터지면 문제가 커진다. 진통제를 사는 돈이 아까운 건 차치하고, 약국에 바로 가지 못할 상황이거나 시간이 늦어지면 상상하기도 싫은 끔찍한 고통을 고스란히 겪어야 하기 때문이다. 슈퍼마켓은 학교 근처라서 금방 다녀왔지만, 수업 도중에 멀리 있는 약국까지 갈 수는 없었다. 불안한 마음을 애써 달래며 수업을 듣는데 점점 허리가 마비되어갔다. 두려웠다. 진통제 없이 끔찍한 날것의 고통을 느끼고 싶지 않았다. 하지만 아픔은 차츰 심해져갔고 수업이 끝나갈 즈음에는 거의 제정신을 차릴 수가 없었다.

허리를 세울 힘도 없어 수업 시간 내내 강의실 책상에 녹아내리듯 엎드려 있었다. 내 하반신에만 중력이 백 배쯤은 강하게 작용하고 있었다. 비 오는 날처럼 축축하고 무거운 공기가 내 온몸을 무겁게 짓누르고, 발밑에서는 블랙홀이 아가리를 벌리고선 내 하반신을 빨아들이고 있는 것 같았다. 강의실의 온갖 소음이 웅웅거리며 두개골을 울려댔고 식은땀이 비 오듯 쏟아졌다. 눈앞이 어질어질했다. 포궁 안이 허물어져 내리는 감각이 지나치게 선명했다. 허리께부

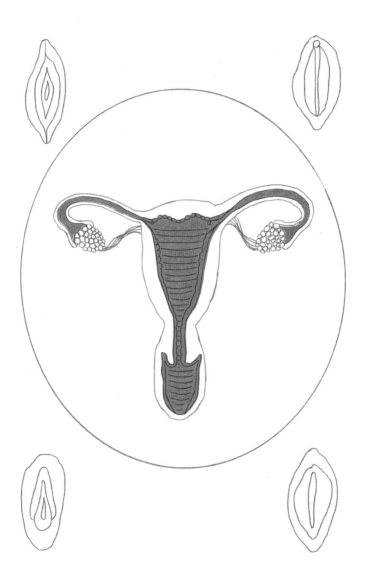

터 골반까지는 누가 나를 하루종일 엎어놓고 몽둥이로 매찜질을 한 것처럼 통통 부어 마비된 것 같았다. 꾸준하고도 끈질긴 아릿함이 내 하반신을 둔하게 마비시켰다. 하지만 조금이라도 허리를 움직이면 거대한 바늘로 쿡 찌르는 듯한 통각이 비명을 질렀다. 너무 고통스러워 그냥 잠이라도 들고 싶었지만 날카로운 통증은 그마저도 허락하지 않았다.

수업이 끝나고 혼자서 가까스로 일어선 나는 반 죽어가는 사람의 형상으로 겨우 발걸음을 뗐다. 예전에 생리혈을 너무 많이 흘려 빈혈로 쓰러진 후로는 생리할 때 진통제와 철분제를 꼭 상비해둔다. 하지만 둘 다 없는 지금, 신체적으로도 심리적으로도 나는 곧 의식을 잃을 것만 같았다. 아득히 멀어지는 정신을 가까스로 붙잡고, 후들거리는 다리를 겨우 이끌고 약국에 도착했다. 진통제 두 알을 한꺼번에 집어삼켰다. 나는 첫날에 보통 진통제 네다섯 알을 먹는다. 이 정도의 고통이라면 한 알로는 어림도 없다. 참 신기하게도, 플라시보 효과 덕분인지 진통제가 목구멍을 넘어간 순간 조금은 고통에서 해방된 느낌이 들었다. 겨우 한숨을 돌렸지만 아직 진통제가 효과를 발휘하려면 최소 삼십 분은 걸리므로, 근처 카페에 가서 무너지듯 누워 있었다. 삼십 분 정도 흘렀을까. 허리와 골반의 고통이 점차 가시고 약에 취한 듯 몽롱한 기분만이 남았다. 진통제를 먹는다고 해서 아픔이 싹 가시는 건 아니다. 마취 주사를 놓은 것처럼 통각이 둔해질 뿐, 불편하고 무거운 느낌은 여전하다. 하지만 괴로운 통증이 사라지는 것만으로도 진통제를 먹을 이유는 충분하다. 나는 아마 오늘 진통제 두세 알은 더 먹어야 할 테다. 처음에는 하루에 세 알로도 충분했는데, 생리통이 더 심해졌는지 이제 세 알로는 부족해졌다. 사실 많은 사람들의 오해와 달리 생리통에 먹는 진통제는 복용법을 잘 지키면 건강에 아무런 해가 없다. 내성도 생기지 않는다. 따라서 진통제에 내성이 생겨 더 많은 양이 필요한 것은 아니다. 전보다 생리통이 심해진 탓이다.

오늘 예상치 못하게 생리가 터진 후 내가 쓴 돈은 과연 얼마일까. 생리대, 진통제, 커피값. 다 필요없는 지출이었는데 미리 준비하지 못해 써버린 돈이다. 또 오늘 하나도 듣지 못한 수업은 어떻게 해야 할까. 혼자 듣는 수업이라 필기를 보여줄 친구도 없는데. 이따 있을 저녁 약속은 또 어떻게 해야 할까. 어제까지만 해도 미친 듯이 기승을 부렸던 식욕이 거짓말처럼 사라져버렸고 입맛이 뚝 떨어졌다. 아무것도 먹고 싶지 않고 그저 집에 가서 기절한 듯 잠에 들고만 싶었다. 질에서는 끊임없이 피가 흘러나왔고 가끔 따뜻한 굴을 낳는 것처럼 물컹한 덩어리가 나오기도 했다. 핏덩어리가 생리대와 성기 사이에서 납작하게 눌리는 기분은 상상을 초월하게 더럽다. 오늘 나는 너무도 많은 체력과 감정을 소모했다. 아직도 허리께의 찌르는 듯한 통각이 가시질 않아 진통제를 하나 더 먹어야 하나 고민했다. 머리를 싸매고 카페에 우두커니 앉아 하릴없이 시계만 바라봤다. 약속을 파투 내고 집에 갈까. 그럴 수 없다는 걸 알면서도 어떻게 하면 집에 갈 수 있을지 골똘히 고민했다. 어찌 되었든 이제 와서 약속을 파투 낸다면 나만 나쁜 애가 되고 비난을 받겠지. 가만히 생각하다 보니 억울해졌다. 나의 오늘은, 왜 이렇게 망쳐져야 했을까. 눈썹 아래로 죽음 같은 피곤함이 몰려왔다.

마지막 고비
D+1

뭔가 찝찝한 기분에 알람도 울리지 않았는데 얼핏 잠에서 깼다. 엉덩이골에 축축하고 점성 있는 무언가가 고여 있었다. 굳이 확인해보지 않아도 팬티에 다 묻었을 것이 분명했다. 아, 샜다. 가장 큰 오버나이트를 착용했는데도 생리량이 많은 첫날 밤은 이렇게 종종 새곤 한다. 둘째 날에 흔히 발생할 수 있는 일이지만 꾸준히 기분이 엿 같다. 허리춤부터 엉덩이까지 누군가 백 톤쯤 되는 추를 매달아 둔 것처럼 무거웠다. 일어나기는커녕, 몸을 뒤척이기도 힘들었다. 나는 침대에 무력하게 누워 끈적한 피 웅덩이 속으로, 혹은 바닥이 없는 갯벌 아래로 하염없이 가라앉고 있었다.

생리 공결을 쓸까. 도저히 학교에 갈 수 없을 것 같았다. 하지만 오늘 수업은 독강이라 빼먹으면 골치 아픈 수업이다. 벌써 수업을 한 번 빠졌던 전적이 있기 때문에 그 하루의 필기와 수업 내용을 어떻게 메꿔야 할지도 걱정이었다. 수업을 듣지 않으면 시험을 잘 보기 힘든 과목이라 오늘은

꼭 가야만 했다. 이제 곧 기말고사도 닥쳐올 테니. 아, 진짜 가야 하는데....... 병든 닭처럼 눈이 계속 감겼다. 다시 잠이 쏟아졌다.

더럽게 찜찜한 기분에 영원히 잠에서 깨어나고 싶지 않아 가수면 상태로 잠시 눈을 감고 있다가, 불안한 마음에 다시 눈을 번쩍 떴다. 질에서 뒤로 흘러내려 엉덩이 골 끝에 뭉텅이져 고여 있는 생리혈이 침대 시트에까지 묻을까봐 끔찍해져서 벌떡 일어났다. 허리가 찡 울렸다. 침대맡 서랍에 처박혀 있던 일회용 생리대 대형 하나와 새 팬티를 하나 꺼내 비척비척 화장실로 걸어갔다. 골반이 쿡쿡 쑤시고 머리가 띵 울렸다. 과연, 오버나이트의 범위를 넘어선 팬티 뒤쪽에 생리혈이 묻어 있었다. 잠옷 바지 뒤쪽까지도 생리혈이 새서 묻어있었다. 이 정도면 침대 시트에도 생리혈이 샜을 것이 틀림없었다. 시트를 또 갈아야 한다고 생각하니 짜증이 확 솟구쳤다. 새빨간 피로 잔뜩 젖어 축 늘어진 생리대를 팬티에서 뜯어내 돌돌 말아 휴지 뭉텅이로 감싼 뒤 화장실 선반 한쪽에 던져두었다. 그리고 피가 묻은 팬티를 벗어 바가지에 차가운 물을 받아 넣어두었다. 피가 약간 묻은 팬티는 이렇게 핏물을 좀 빼고 빨래를 하면 소생이 가능하기도 하다. 핏자국이 조금 묻었다고 팬티를 다 갖다버리면 여자들은 아마 한 달에 팬티를 대여섯 개는 버려야 할지도 모른다.

온몸이 너무 찝찝해 바로 샤워를 시작했다. 샤워기 물이 튀며 구석에 처박아둔 휴지 뭉텅이가 조금씩 젖어갔다. 금방 흐물흐물해진 재질은 고체와 액체 사이 그 어디쯤에서 형체를 잃은 채 선반 위에서 녹아내렸다. 젖은 휴지에 발간 핏기가 비쳐 보였다. 휴지가 젖을수록 발간 피는 그 영역을 점점 넓혀갔다. 난 그 모양을 멍하니 바라보며 샤워를 마쳤다. 몸을 대충 문질러 닦고 그것을 집어 들었다. 손가락 끝에 전해진 감촉은 물컹하고 축축해서 기분이 나빴다. 화장실을 나와 몸서리치며 그것을 쓰레기통에 집어 던졌다. 그것은 축, 소리를 내며 쓰레기 봉지 바닥에 붙어 늘어졌다.

내가 거기 가만히 누워 있었다.

둘째 날은 마지막 고비다. 길고 긴 PMS의 지옥과 끔찍한 생리 첫날까지 지나고 이제 둘째 날만 잘 버티면 셋째 날부터는 비교적 수월하게 일상생활을 할 수 있다. 생리대도 진통제도 모두 구비했으니 문제 될 것도 없다. 하지만 내가 간과한 문제가 또 예상치 못하게 발생하고 말았다. 아무 생각 없이 평소에 입던 스키니진을 입고 밖에 나선 것이다. 생리대를 착용하고 있으면 자연히 골반과 엉덩이 부분이 더 낄 수밖에 없다. 또한 꽉 조이는 바지를 입으면 혈액순환이 잘 되지 않아 생리통도 더 심해진다. 하루 종일 하반신이 너무 불편하고 골반이 뒤틀리는 기분이 들어 수업도 제대로 못 듣고 재빨리 다시 집으로 돌아왔다. 어찌저찌 겨우 둘째 날 도 힘겹게 마무리되고 있었다. 마지막 고비를 넘어가며 나 는 또 죽음 같은 잠에 들었다.

부활
D+3

오늘 아침에는 창으로 비치는 햇살이 너무 좋아서 레저 (Leisure)의 〈올 오버 유(all over you)〉를 들으며 춤을 췄다. 믿기지 않게도 충만한 행복감을 느끼고 있다. 잠에서 깨어나 아침을 맞는 일이, 죽음에서 깨어나 부활한 것처럼 느껴진 적은 처음이었다. 햇살이 너무 좋아서? 오늘이 주말이어서? 혹은 가장 큰 가능성으로, 생리가 시작되어 PMS가 끝났기 때문이겠지.

나의 행복에는 별다른 이유가 없다. 내가 우울의 바닥까지 침잠했던 이유도 별다른 게 없는 것처럼. 그저 나에게 우울의 계절이 돌아왔었고, 또 지나간 것뿐이다. 어둠의 구렁텅이에서 빠져나온 뒤에는 언제나 이렇게 찬란한 빛이 나를 반긴다.

나를 지겹도록 괴롭혔던 여드름도 거짓말처럼 하나둘 쏙쏙 들어가 피부가 좋아졌다. 부풀었던 가슴이 줄어들며 가슴 통증도 사라졌고 생리통도 이제는 비교적 잠잠해졌다.

나를 잠식했던 우울감이 싹 가셨고 미친 듯 날뛰던 식욕도 사라져 입맛도 당기지 않았다. 2주간 나를 끔찍이도 괴롭혔던 온갖 질문들과 고뇌 역시 관심 바깥으로 밀려나버렸다. 나를 둘러싼 모든 것들에 이유 없이 감사한 마음이 들었고 모든 게 잘 될 거라는 낙천적인 믿음이 퐁퐁 솟아났다. 창으로 비치는 눈부신 햇살처럼, 나의 미래도 무구한 가능성과 기쁨의 아침들로 반짝반짝 빛나고 있을 것만 같았다. 거울에 비친 내 모습이 사랑스럽고 아름답고 행복해 보였다. 행복했다. 지난 2주 동안의 나는 어디론가 사라져버리고 오늘의 내가 새롭게 다시 태어난 것만 같았다. 뼈를 깎고 피를 흘리며 감당해야 했던 우울의 강도가 꼭 같은 양의 행복으로 되돌아온 아침이었다. 온몸을 감싸는 충만한 행복과 낙관, 정도를 모르고 솟아오르는 나를 향한 사랑과 신뢰, 그 어느 때보다도 가볍고 활력이 도는 몸, 괴로움과 우울을 잘 버티고 이겨냈다는 성취감, 이전의 나를 탈피하여 새롭게 부활한 듯한 기분, 넘쳐나는 창작의 열망이 따스한 햇볕과 함께 내 온몸의 혈액을 타고 부드럽게 돌았다.

사랑이 그저 행복하기만 한 것은 아닌 것처럼, 나를 향한 사랑도 힘겹고 아플 때도 있다. 그렇기에 나를 미워하는 날들이 있더라도 그것 역시 나를 사랑하는 과정 중의 일부라고 믿는다. 피할 수 없이 계속 돌아오는 생리 주기처럼, 자기혐오와 우울의 주기도 계속해서 돌아올 것임을 안다. 그 시간은 내가 무슨 짓을 하더라도 영원히 계속해서 돌아오리라는 것도 안다. 그렇다면 나는 그 시간들을 어떻게 통과해야 할까. 오래도록 고민했지만 아직 잘 모르겠다. 그때그때 다르지 않을까 짐작할 뿐이다. 그 슬픔과 우울이 매번 같은 것도 아니니까. 가끔은 친구와 술잔을 부딪치고, 가끔은 좋아하는 음악을 들으며 펑펑 울고, 어떨 땐 이렇게 글을 막 써내리고, 또 어떨 땐 가만히 누워 침대 밑으로 끝없이 침잠하겠지. 좀더 현명하게 다루고 싶다는 생각도 들지만, 그럴 수 있다면 그건 감정이 아닐 거야. 이렇게 다양한 감정이 하루에도 몇 번씩 내 안에서 부풀어 올랐다 꺼지는 모양을 보고 있으면 참 신기하다. 이 세계에서 오로지 나밖에 느낄 수 없는, 지금, 이 순간에만 존재하는 나만의 감정. 그 작은 순간순간이 모두 소중해졌다. 그러니까, 오늘 아파도 내일은 더 나아지리라는 희망을 품고 견뎌내는 것이 나의 몫이라고 믿는다. 어떠한 형태로든 그 견뎌냄은 훗날 내게 보상이 될 테니까. 두려움도 우울도 혐오도 질투도 미움도, 모두 나만의 감정이니까. 용기를 내어 마주하고 다정하게 안아주는 방법밖에는 없다는 걸 안다.

　나는 살면서 앞으로 족히 몇십 년은 더 달마다 생리를 할 것이고, 그로 인해 극심한 스트레스와 불안과 우울의 감정 주기를 한 달 간격으로 버텨내야 할 것이다. 주기적으로 돌아올 고통의 시간을 어떻게 통과할지는 나의 몫이다. 그러나 그 시간을 통과해낸 지금은, 오히려 감사하다고 느낀다. 세상을 살아가며 내가 제아무리 오만하고 이기적이고 별로인 인간이 되더라도, 적어도 한 달에 한 번씩은 우울의 바다 속에서 나를 되돌아보고 반성할 기회가 주어지지 않겠는가. 고통의 시간을 버텨내고 나면 내 안에 믿을 수 없이 강한 힘이 생긴다. 누구도 무너뜨릴 수 없는 나와의 굳건한 신뢰가 쌓인다. 자존감이니 자의식이니 하는 이야기는 나는 잘 모르겠다. 나는 그저 나와 함께 살아가기로 마음먹었고, 내가 어떤 모습으로 무슨 일을 하든 외면하지 않고 받아들이기로 했다. 나를 내가 가장 사랑해주기로 했다. 그러한 삶이 어떤 행복과 만족감을 가져다주는지, 자신을 사랑하지 않는 사람은 절대로 모를 것이다. 생리를 하며, 생리 일기를 쓰며, 나는 나에 대해 배우고 있다. 나와 잘 살아가는 법에 대해 배우고 있다. 이것만큼 기쁘고 놀라운 공부는 이 세상에 없다.

어둠의 끝에는 분명히 빛이 있다는 보편의 진리가 또다시 승리하는 경이로운 순간이었다.

하지만 빛의 끝에는 또한 어둠이 있다.

또 다른 시작
D+14

배란기가 또다시 시작됐다. 희미한 예감이 또 저 멀리서부터 슬며시 다가오기 시작했고 또다시 나와의 싸움의 서막이 올랐다.

행복 뒤에는 불행이 따른다. 불행 뒤에는 행복이 따른다. 세상의 모든 것에는 양면이 존재하고, 그 양면을 맞닥뜨리는 데에는 시간차가 있다. 단순하게 이해하자면 그렇다. 어둠과 빛을 뭉뚱그려 거칠게 양분할 수 있다면 말이다. 사실은 어둠 속에도 빛은 있고 빛 속에도 어둠은 있다. 어둠이 있기에 빛이 존재하고 빛이 있기에 어둠이 의미를 얻는다.

행복과 불행의 주기가 파도처럼 반복되는 삶 속에서, 나는 그동안 너무도 균형을 지키고 싶어 쩔쩔매었다. 늘 격변하는 불안정한 주기를 견뎌야만 했던 내가 안정감을 추구하는 것은 어쩌면 당연한 일인지도 모른다. 하지만 과연 균형을 지키는 일이 좋은 걸까? 『로미오와 줄리엣』의 로렌스 신부가 가르치던 대로 중용을 지키는(moderate) 삶만이 현명한 걸까? 순간의 감정에 경도되어 지나치게 격렬한 사랑에 몰두한 로미오와 줄리엣처럼, 중용을 벗어난 삶은 결국 비극을 맞게 되는 것일까? 혹은 반대로, 영화 〈콜 미 바이 유어 네임〉에서, 늘 엘리오의 아버지를 뒤에서 붙잡거나 앞을 가로막고 있었던 거추장스러운 것들, 그런 것들이 중용의 다른 이름은 아닐까? 나는 과연 단 한 번이라도, 아무 의심이나 두려움 없이 내 눈앞의 행복을 만끽해본 적이 있었나? 혹은 단 한 번이라도, 내 눈앞의 불행을 모른 척하지 않고 온몸으로 끌어안아 본 적이 있었나? 삶의 파도가 어차피 계속해서 반복된다면, 그리고 그 반복을 나의 힘으로는 멈출 수 없다면, 그 위에서 꼿꼿이 균형을 지키고 서 있어야 할 이유가 대체 무엇인가. 파도가 치면 치는 대로, 가라앉으면 가라앉는 대로, 떠오르면 떠오르는 대로, 온몸의 힘을 모조리 뺀 채 물의 흐름에 나를 그대로 맡기는 일을, 나는 왜 그리도 두려워했을까?

불행의 끝에 행복이 있고 행복의 끝에 불행이 있다면, 삶의 끝에는 죽음이 있고 죽음의 끝에는 삶이 있다. 메멘토 모리. 죽음을 기억하라. 죽음을 기억하는 일은, 늘 죽음을 염두에 둔 채 삶을 대하라는 말이 아니다. 오히려 불행과 죽음이 늘 거기에 있음을 알고, 그렇기에 조금도 두려워하지 말고 지금의 행복을, 지금의 삶을 만끽하라는 말과 같다. 단 1퍼센트의 의심도 끼어들 틈 없이 완전한 행복을 누리라는 말과 같다. 왜냐하면 그 행복은 영원하지 않기 때문이다. 또한 내 앞에 놓인 불행을 외면하지 말고 온몸으로 끌어안 으라는 말과 같다. 왜냐하면 그 불행도 영원하지 않기 때문이다. 이 세상의 어떠한 것도 영원할 수는 없다. 모든 것은 변화하고 표류하도록 만들어졌다. 이 세상의 모든 것은 시시각각 변하며 자연의 주기를 따라 순환한다.

끝과 시작은 같은 말이다. 시작이 있으면 끝이 있고, 끝이 있으면 또 다른 시작이 있다. 양극단이라고 우리가 거칠게 양분한 것들은 사실 언제나 동시에 존재하며, 그러할 때만 의미를 얻는다. 희망과 절망, 행복과 불행, 삶과 죽음, 그 모든 극들은 결코 선형적인 이미지는 아닐 것이다. 따라서 끝이 두려워 시작하지 못하고, 미래가 두려워 지금을 온전히 살아가지 못한다면, 그것이야말로 마비된 삶일 테다. 늘 감정의 균형을 맞추기 위해서는 불행할 때 최선을 다해 행복한 척을 해야 하고, 행복할 때 애를 써서 불행해져야 한다. 그렇다면 언제나 그 뒤에 숨죽인 불행과 죽음의 그림자를 의식하면서, 파수꾼의 눈치를 보는 개처럼 행복하지도 불행하지도, 삶도 죽음도 선택하지 못한 채 '중용을 지키며'

살아갈 것인가? 그럴 바에는 난 그냥 눈을 가리고 오늘을 살겠다. 지금, 이 순간 내 앞에 놓인 행복을 모든 감각을 동원하여 만끽할 것이다. 두려워하지 않을 것이다. 기억할 것이다. 그리고 그 후에 다가올 불행과 우울과 슬픔의 나날도 담담히 지낼 것이다. 그 끝에는 또 다른 빛이 있음을 알기에, 나는 두려워하지도 외면하지도 않고 행복이든 불행이든, 그 무엇이 되었든 지금에 충실하고 싶다. 메멘토 모리와 카르페 디엠, 상반되는 것 같지만 결국은 같은 말.

영어로 바그(vague)는 '모호한', '희미한'이라는 뜻을 가진다. 불어로는 첫째로 '파도(물결)'라는 뜻을 가진다. 접두사 'vag-'는 '바구스(vagus)'라는 라틴어에 그 어원을 두고 있는데, '방황하는' '애매한' '분명치 않은(wandering, uncertain)' 등의 의미를 가진다. 그러니까 불어로 '파도'란, '모호함'이나 '방황'과 같은 의미로 받아들여진 셈이다. '바그'라는 이름을 파도에 처음으로 붙여준 사람이 누구인지는 몰라도, 아마 저녁마다 거대하게 물결치는 바다를 하염없이 바라보며 해변가에 앉아 있던 사람들 중 한 명이 아닐까. 그 속으로 뛰어들고 싶지만 두려움을 느꼈거나, 혹은 뛰어들어 자유롭게 수영을 즐기던 사람일 수도 있겠지. 파도에 맞서 싸워야 했던 뱃사람 중 한 명일 수도 있겠다. 어찌 되었건, 불어에 서뿐 아니라 우리 모두에게 파도는 '안정'이나 '정착'이라는 개념과는 멀리 떨어져 있다. 파도는 분명 상승과 하강의 끝 없는 반복이지만, 언제 어디서 어떻게 다가오고 멀어질지, 무엇 하나 쉽게 예측할 수 없는 움직임이다. 우리를 언제고 죽일 수도 있는 무시무시한 존재이면서, 상상도 하지 못했 던 어딘가로 우리를 데려가 줄 수도 있는 존재. 멀리서 보면 규칙적인 순환이지만, 가까이서 보면 방황이라는 말로밖에 는 설명할 수 없는, 어느 것 하나 분명하지 않고 애매하고 모호한, 그것은 삶의 또다른 이름이 아닌가.

나는 앞으로 2주간 또다시 기나긴 동굴 안으로 기어들어 가겠지만, 이제는 두렵지 않다. 나의 모든 순간을 사랑하고 모든 변화를 긍정하기로 마음먹었기 때문에, 어떤 다채로 운 시간을 마주하게 될지 오히려 기대되기까지 한다. 나는 예전과는 아주 달라진 마음으로 생리를 맞이할 준비를 할 것이다. 그렇다고 그 무엇 하나 예측할 수 있는 것은 아니 다. 그 불확실성이 나를 설레게 한다. 나만의 방문객이 궁 금하다. 이렇게 말할 수 있어 기쁘다.

100명의
여성은
100가지의
생리를 한다

제3장

네, 저 생리하는데요?

100명의 여성은
100가지의 생리를 한다

2장에서는 나의 생리 경험을 상세히 적었지만, 사실 여성마다 경험하는 생리는 천차만별이다. 나조차도 달마다 겪는 PMS와 생리 경험이 그때그때 다르다. 매달 겪는 우울감과 고통이 절대 같을 수는 없다. 여성의 생리 경험은 개인마다, 또 같은 사람이더라도 달마다 다르다. 그러한 경험들은 모두 각자의 삶에서 어떻게든 깊은 영향을 미치고 의미를 찾아가며 살아 숨 쉬고 있을 테다. 월경은 감히 무엇이라 일괄할 수 없는 개개인만의 고유한 경험이다.

그래서 3장에서는 나의 개인적인 경험뿐 아니라 좀 더 다양한 여성들의 경험을 담아보고 싶었다. 여성 100명이 있으면 그 100명이 경험하는 생리는 모두 다를 것이다. 개인적 차원에만 머물거나 사소한 것으로 취급되어 사회에서 지워지고 마는 각자의 다양하고 개성 있는 이야기들을 조금이나마 기억하고 싶었다. 다시 한번, 인터뷰에 흔쾌히 응해준 내 친구들에게 고마움을 전한다.

우리는 모두 다른 경험을 한다. 각자의 삶이 다르고 성격이 다른 만큼이나 우리의 월경 역시 다르다. 그리고 모두의 다양한 경험은 그대로 존중받아야만 한다. 누군가는 선천적으로 생리를 하지 않는다. 누군가는 후천적으로 생리를 하지 않기로 택했다. 어떤 사람은 하는 듯 마는 듯 큰 변화 없이 생리 기간을 지나기도 하고, 어떤 사람은 견딜 수 없는 괴로움에 병원에 실려가기까지 한다. 그리고 우리 대부분은 그 중간 즈음에서 각자 치열하게 투쟁하며 살아가고 있다. 그 모든 여성 개개인이 존중받고 지지받는 사회를 꿈꾼다.

PMS

: 호르몬과의 전쟁기

앞서 말했듯 월경은 개인마다 다른 경험이며, 특히 PMS에는 매우 다양한 종류가 있다. 하지만 동시에 큰 틀에서 비슷하게 묶일 수 있는 경험도 있다. 특히 PMS 기간에 찾아오는 우울감과 감정 기복은 상당수의 여성이 경험하는데, 이로 인해 종종 월경하는 여성만이 공감할 수 있는 유대관계가 형성되기도 한다. 나의 친구들을 더 깊게 이해하고 알아가기 위해, 그들은 어떠한 PMS 기간을 보내는지 들어보았다.

*

A 나는 PMS가 그렇게 심한 편은 아니다. 다만 남들처럼 가임기 때부터 피부에 여드름이 종종 나기 시작하며 배란일이 다가올수록 분비물이 많아지고 온몸에 붓기가 심해진다. 생리를 시작하면 피부가 좋아지고 붓기도 빠지지만 아

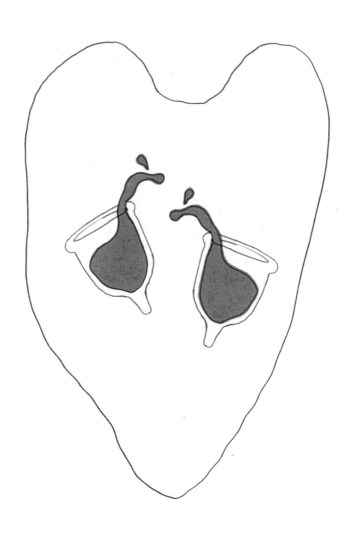

주 쉽게 피곤해지고 에너지가 달린다. 감정의 변화는 거의 없는 편이라 PMS 기간이 그렇게 못 견딜 만하지는 않다.

　B 신체 변화와 감정 변화가 동시에 찾아오는 편이다. 특히 생리 전 주부터 생리하는 주까지 매우 예민해진다. 감정 기복이 심해져서 인생에 대한 회의감이 들거나 우울해져서 자주 울고, 친한 친구와 자주 싸우게 된다. 특히 생리 전날에 짜증이 미친 듯이 치솟고 우울해져서 새벽에 막 울다가 아침에 깨서 화장실에 가면 생리가 터져 있다. 생리 전날 밤에는 왜 이렇게 많이 자나 싶을 정도로 아무것도 못 하고 자기만 한다. 또한 가슴이 부풀어 유방통이 매우 심하다. 생리 전에 가슴이 조금이라도 옷깃에 스치거나 어딘가에 부딪히면 너무 아파서 허리를 웅크리고 감싸 안을 때가 많다.

　C 나는 생리 전에 생리통과 비슷하게 허리와 아랫배에 뻐근한 통증을 느낀다. 하지만 진짜 생리가 시작된 후 겪는 생리통이 매우 심한 편이기 때문에, 생리 전에 진통제를 미리 먹으면 생리 기간에 약이 들지 않을까 두려워 먹지 못한다. 그뿐만 아니라 가파른 감정 변화와 심한 우울증을 겪는다. 작은 일에 땅굴을 파고 들어가며, 자주 우울해하거나

짜증을 낸다. 온몸의 관절이 욱신거릴 때도 있다.

D 평소에는 단 음식을 입에도 대지 않는데 생리 전만 되면 단 음식을 무지하게 찾아 먹는다. 식욕이 급증해서 그런지 생리 전에는 몸이 엄청나게 붓고, 생리가 시작되면 붓기가 빠지는 편이라 생리가 터지고 나면 친구들이 살 빠졌냐고 물어본다. 생리 전에는 위가 아프고 소화도 잘 안 돼서 설사를 하거나 변비가 생길 때도 많다. 평소에도 위장계열이 좋지 않은 편인데 PMS 기간에는 위가 더 약해진다. 그때 식욕이 돋으면 미친 듯이 폭식해서 체하거나 위경련이 오고, 그럴 때면 감당하지 못할 만큼 우울해진다. 생리가 터지면 일단 설사와 변비부터 해결돼서 너무 좋다.

E 나는 생리 중 오는 생리통보다 생리 전에 더 극심한 통증을 겪는다. 생리 전 통증이 시작된 지는 일이 년 정도 된 것 같다. 생리 중에는 생리컵을 써서 생리통이 덜한데, PMS 기간에는 아무런 장치가 없다 보니 허리와 배가 매우 아프다. 가끔은 길을 가다가 숨이 헉 막힐 만큼 찌릿한 고통이 온다. 그럴 때는 도저히 걸을 수가 없어 잠시 쉬어야 한다. 다음 달부터 먹어보려고 달맞이꽃종자유를 사두었다.

F 감정의 변화가 극심한 편이다. 가끔은 이렇게나 정신이 몸의 지배를 당하나 싶을 정도로 감정 컨트롤이 잘 안 된다. 마음이 답답하거나 화가 나거나 극도로 우울할 때는 며칠 지나지 않아 생리가 터질 때가 많다. 하루는 아침에 눈을 떴는데 이렇게 단조로운 삶을 살아가는 내가 너무 불쌍하고 서러워서 엉엉 운 적이 있다. 생리 전에는 식욕이 폭발해서 먹고 싶은 게 너무 많은데, 다이어트 중이라 자제하며 건포도와 호두만 먹다가 그것들을 집어던지며 운 적도 있다. 내가 갑자기 예민해지거나 짜증을 낼 때 동생이 "언니, 생리할 때 다 돼가?"라고 물으며 앱을 켜서 주기를 확인하면 언제나 맞다. 이제는 예민해지고 우울해지면 그냥 생리할 때가 되었나보다 하고 생각한다.

G 생리 시작 일주일 전부터 단 것과 짠 것, 탄수화물이 미친 듯이 당긴다. 최대한 자제해보려 하지만, 생리 예정일 삼 일 전쯤 되면 그냥 유혹에 굴복하는 수밖에 없다. 그즈음에는 늘 피곤하고 게을러지며 온갖 것들에 짜증이 마구 치솟아서 애인과 종종 다툼이 일어나기도 한다. 생리 예정일 하루 전에는 매우 심한 요통과 두통을 겪는다. 대학을 다닐

때 최악의 생리통을 경험한 적이 있는데, 그때는 하루에 네 알에서 여섯 알에 달하는 진통제를 먹어야 했다.

생리통은 자연스러운가?

인터뷰를 진행하며 나의 의문을 불러일으켰던 답변이 몇 가지 있었다. 생리통이 심할 때 진통제를 먹느냐는 질문에, 약은 자연스러운 것이 아니기 때문에 최대한 약을 먹지 않으려고 노력한다는 답변이 그중 하나였다. 그 친구는 생리통이 아무리 심해도 진통제를 먹지 않고 참으며, 경구피임약도 인위적으로 호르몬을 조절하는 것이기 때문에 먹지 않는다고 답했다.

의문스러웠다. 그렇다면 과연 생리통은 자연스러울까? 생리 때마다 경험하는 지독한 요통과 호르몬 불균형으로 인한 극심한 감정 변화는 자연스러운 것일까? 어떤 약에도 의존하지 않고 고통을 참아 넘기는 것만이 최선의 대처 방식일까? 물론 약을 쓰지 않고 나아질 수 있는 근본적인 방편이 있다면 좋겠지만, 사실 호르몬의 문제를 개선하는 일은 꽤 까다롭다. 의외로 생리용품을 바꿔 보면 도움이 될 때도 있다. 일회용 생리대에서 생리컵으로 바꾼 후에 생리통이 사라지거나 완화되었다는 후기가 꽤 많다.

물론 그 친구가 겪는 PMS나 생리통은 심하지 않아 진통제나 호르몬제 없이도 참아 넘길 수 있는 수준이었는지도 모른다. 그러나 참을 수 없는 수준의 고통을 느끼는 사람들도 있다. 그리고 그들에게는 진통제와 호르몬제가 유일한 구원일 때도 있다. 생리통이 심할 때 진통제를 먹는 것은 부자연스러운 일도 아니고 몸에 크게 무리가 가는 일도 아니다. 오히려 날것의 통증을 이를 꽉 깨물고 참는 편이 몸에 더 크게 무리가 갈 테다. 앞서 말했듯이, 생리통이 올 것 같으면 그 전에 미리 진통제를 먹어야 효과가 있다. 더 이상 견딜 수 없을 때까지 참다가 진통제를 하나씩 먹는 방식은 미련하다. 생리 시작 전이나 직후에 진통제를 미리 먹어두는 편이 통증 방지에 더 좋다는 연구 결과도 있다. 진통제를 너무 많이 먹으면 내성이 생길 것이라는 흔한 오해 역시 사실이 아니다. 처방전 없이 약국에서 쉽게 구할 수 있는 일반 진통제의 경우 비마약성 진통제이므로 중독성이 없다. 적절한 때에 적절한 복용법과 복용량을 지켜 진통제 및 피임약을 복용한다면 건강에는 아무 문제가 없다.

내 친구들 역시 참을 만한 미미한 통증에서부터 진통제로도 해결되지 않는 심각한 통증까지 다양한 생리통을 경험한다. 그들의 이야기를 들어보았다.

*

  A 나의 생리통은 처음에는 무언가 뾰족한 것으로 배를 콕콕 찌르는 것처럼 아프다가, 나중에는 뜨거운 물을 부은 것처럼 배 속이 불타는 느낌이 든다. 제대로 서 있지도 못할 정도로 몸이 무거워 다리가 무너져 내리고, 배 속을 망치로 한 대 얻어맞은 듯 숨을 쉴 수가 없다. 생리통과 소화 불량이 함께 겹치면 그게 바로 지옥이다. 아무것도 먹지 못한 채 통증에 괴로워하며 온종일 침대에 누워 앓아야 한다. 생리통이 심한 편이라 첫날 겪는 생리통이 가장 두렵다. 가장 두려운 건 진통제를 미리 먹지 못하면 어떤 방법을 써도 아픔이 바로 가시지 않는다는 점이다. 나의 생리통은 오로지 진통제만이 멈출 수 있다. 때를 잘 맞추지 못해 무방비 상태로 생리통에 노출되면 꼭 죽고 싶을 만큼 아프다. 그래서 늘 진통제를 상비해두는 편이지만, 상황에 따라 불가능할 때도 있다.

  하루는 시골에 내려갔는데 예상치 못하게 가족과 밥을 먹는 도중 생리가 터졌다. 약국이 너무 멀리 있어 진통제를 구하러 가기도 어려웠고, 복통이 점점 심해져서 밥을 잘 먹지 못했다. 친척들 앞에서 생리를 한다고 말할 수도 없어 혼자 끙끙대며 아파하자 원인을 모르는 친척들은 더 잘 먹어야 한다며 억지로 밥을 먹였고, 갈수록 생리통이 더 심해져 울음을 터뜨렸다. 결국 친척들 중 우리 가족만 나 때문에 집에 일찍 돌아가야 했다. 집으로 돌아가는 내내 가족들 앞에서 포궁을 없애버리고 싶다고 울면서 소리질렀다. 집에 도착하자마자 현관문 앞에서 먹은 것들을 모조리 토해냈고, 너무 늦어버린 탓에 진통제도 잘 듣지 않아 배에 핫팩을 두른 채 계속 뒹굴었다. 핫팩의 뜨거운 고통이 생리통을 잠깐 잊게 해줘서 온도를 가장 세게 설정해두고 잠들었다. 그때 생긴 화상 자국이 아직도 배에 작게 남아 있다.

  B 중학생 시절에는 집이 시골에 있었다. 주변에 마트나 편의점이 없어서 차를 타고 이십 분은 나가야 하는 외딴곳이었다. 생리가 터졌는데 생리대가 없었고 하필 부모님은 여행을 가서 집에 안 계셨다. 생리통이 너무 심해서 혼자 버스를 타고 시내로 나갈 엄두도 안 났다. 집에 몇 개 남아 있던 작은 팬티라이너를 겨우겨우 이어붙여 사용했고, 임시방편으로 휴지를 말아 속옷 안에 채워두는 등 어떻게든 버

텼던 기억이 있다.

C 학교에서 시험을 보던 중 극심한 생리통을 겪은 적이
있다. 분명 진통제도 미리 먹었는데 스트레스와 압박감 때
문인지 갑자기 믿을 수 없을 정도로 강렬한 통증이 배를 강
타했다. 문제를 푸는데 손이 벌벌 떨리고 식은땀이 흐를 정
도로 배가 너무 아파서 도중에 시험을 포기하고 선생님 차
를 타고 급히 병원으로 간 기억이 있다. 격렬한 생리통 때문
에 생리 첫날에 조퇴한 적도 많다. 생리통이 너무 심해 산부
인과 응급실로 실려 갔는데, 병원 관계자들이 별로 대수롭
지 않게 취급해서 화가 난 적도 있다.

D 나의 생리통은 두 개의 드릴이 양쪽에서 허리 아래쪽
을 뚫고 들어오고 내 모든 난소가 일제히 뒤틀림과 동시에
2파운드짜리 모래주머니를 끌고 가는 느낌이다. 한번은 살
면서 가장 심한 복통이 와서 바닥에 쓰러진 적이 있다. 거의
의식을 잃고 기절했다가 잠시 후 겨우 정신을 차려 병원에
갔다. 그때 그게 생리통이 아니라 자연유산이었음을 알았
다. 임신을 한 줄도 몰랐다. 아주 초기여서 금방 회복하긴
했지만 그때 겪은 충격과 고통을 다시는 기억하기도 싫다.

경구피임약을 꾸준히 복용하고 있었는데도 술을 마신 탓인지 피임이 제대로 안 된 모양이었다. 엄마에게 말하니 엄마도 나를 낳기 전 몇 번 자연유산을 겪었다고 했다. 그 일은 아직까지도 남자친구에게 비밀로 하고 있는 중이다. 괜히 걱정시키고 싶지 않아서.

대비할 수 없는 생리

　밖에서 갑자기 생리가 터지거나 생리혈이 새는 것만큼 당황스러운 일은 없을 것이다. 사실 아무리 생리 주기가 규칙적이더라도, 몸의 컨디션에 따라 갑자기 하루 이틀이 앞당겨지거나 늦춰지기도 한다. 생리 예정일을 칼같이 맞출 수 있는 사람은 없다. 그저 포궁 신의 운에 맡길 뿐이다. 때문에 계획을 짤 때 생리가 걸림돌이 되는 경우가 종종 있다. 특히 여행 계획을 짤 때 가장 그렇다. 비행기 안에서, 수영장에서, 익스트림 스포츠를 하면서, 캠핑 중에 피를 흘리고 싶은 여성은 없기 때문이다. 하지만 갑자기 찾아오는 생리는 내 마음대로 대비할 수 있는 것이 아니다. 미리 피임약을 먹어 생리를 미룰 수 있다면 좋겠지만, 예상치 못한 상황이 벌어지는 순간들도 많다. 이런 순간들은 언제 어디서나 발생할 수 있다.

*

  A 한번은 여행을 갔을 때 흰 바지를 입고 있었는데 누가 등을 톡톡 치길래 돌아보니 어떤 여자가 엉덩이 쪽을 가리키고 있었다. 생리가 터져 엉덩이 부분이 붉게 물들어 있었다. 얼마나 오래 이 지경이었는지 알 수 없어 끔찍해졌다. 할 수 없이 길가의 아무 옷가게나 들어가 아무 바지와 속옷을 골라 샀고 근처 공중화장실에서 옷을 갈아입었다. 생리 예정일이 아니었기 때문에 아무런 준비가 되어 있지 않았다. 그날 계획해두었던 서핑과 수영은 포기할 수밖에 없었다. 결국 여행 스케줄은 완전히 틀어지고 말았다.

  B 집에 돌아가는 길에 지하철에서 갑자기 생리가 터진 적이 있다. 다행히 속옷까지만 샜을 때 낌새를 눈치채고 바로 내려 지하철 화장실에서 해결했다. 운 좋게 일회용 생리대 자판기가 비치되어 있어 생리대를 사려고 했는데, 하필 잔돈이 없어서 지나가는 여성분께 부탁을 드렸다. 나를 이상한 사람인 줄 알고 한번 훑던 시선에 민망했지만, 덕분에 무사히 해결했다.

C 한국으로 오는 열네 시간 비행기 안에서 갑자기 생리가 터진 적이 있다. 비행기가 이륙한 지 한 시간쯤 지났는데 갑자기 질에서 뭔가 나오는 느낌이 들어 확인해보니 바지에 생리혈이 묻어 있었다. 생리 주기에 따르면 그날은 예정일도 아니었는데 갑자기 터져버려서 너무 당황스러웠다. 보통은 평소에도 생리대를 두어 개 씩 챙겨 다니는데, 머피의 법칙대로 하필 그날은 생리대가 없었다. 결국 여자 승무원에게 생리대가 있는지 물어보았고, 정말 다행이도 승무원이 종이 호일에 싸서 생리대를 하나 갖다주었다. 그것 하나로 버티느라 생리대가 피에 있는 대로 절어 축축해졌다. 기분이 더럽고 찝찝했지만 어쩔 수 없었다. 생리가 샐까봐 신경쓰여 잠도 자지 못하고 화장실만 계속 들락거리며 휴지를 왕창 덧대고 열네 시간을 뜬눈으로 지새웠다. 열네 시간 비행 동안 단 하나의 생리대로 끝까지 버티고, 비행기에서 내리자마자 생리대를 샀다. 가장 끔찍한 비행이었다.

D 대학교 1학년 때였나, 과실에서 선배들과 넋 놓고 이야기하다가 시간이 한참 지난 후 일어섰는데 과실 의자에 피가 흥건히 묻어 있었다. 도움받을 수 있는 여자 선배는 멀리 떨어져 앉아 있어서 카톡으로 도움을 요청했는데 휴

대폰을 못 보신듯했다. 같이 이야기하던 사람들은 모두 남자 선배들이어서 정말 난감했다. 잠시 눈치를 보다 결국 후다닥 과실을 벗어나 급하게 생리대를 사서 처치한 후 택시를 타고 집에 간 적이 있다. 까만 바지여서 다행이지, 흰색 하의였다면 끔찍해서 상상도 하기 싫다. 집에 가던 도중 여자 선배에게서 메시지를 받았는데, '어두운색 의자여서 아무도 못 알아봤으니 괜찮다, 내가 의자를 갖다버리겠다'는 내용이었다. 그때 정말 고마워서 눈물이 날 뻔했다.

E 가족과 캠핑 중이었는데 갑자기 생리가 터졌다. 정말 아무런 근거가 없이 터졌다. (It just came from nowhere.) 생리 예정일이 아니었기 때문에 당연히 생리대는 없었고 숲속이었으므로 생리대를 사려면 차를 끌고 도시로 되돌아가야 했다. 교회 행사 중이어서 중간에 집으로 돌아갈 수도 없었다. 다른 방편이 없어 휴지를 말아 속옷 안에 넣어놓고 버텼지만, 생리혈이 샐까봐 불안한 마음에 계속 스트레스에 시달렸다. 사람들에게 생리대가 있는지 물어보고 다녔지만, 구원자는 나타나지 않았다. 결국 엄마에게 말해서 차를 끌고 가장 가까운 가게에 가서 생리대를 산 기억이 있다.

F 밤에 생리가 자주 새는 편이라 무조건 오버나이트를 차거나 대형 생리대 두 개를 이어붙여서 하고 잔다. 그뿐 아니라 자기 전에 엉덩이 부분에 수건을 두 개 정도 깔아놓고 잔다. 자고 일어나면 위치가 달라져서 침대 시트에 조금씩 묻을 때도 있지만. 내 침대 시트에 생리가 새면 귀찮고 짜증 나긴 해도 빨면 되는데, 문제는 다른 곳에서 자게 되었을 때다. 한번은 친구 집에서 잘 때 흰색 러그에 내 생리혈이 샌 적이 있다. 러그라 세탁도 어려워서 물티슈로 열심히 닦았다. 결국 깨끗해지긴 했지만 너무 미안하고 민망했던 기억이 있다. 그 후로는 생리 중에 밖에서 잘 안 자려고 하고, 불가피하게 밖에서 자야할 때는 신경 쓰여서 자주 깨거나 뒤척인다.

G 면접을 보는 도중 생리가 터진 적이 있다. 질에서 물컹한 핏덩어리가 울컥 쏟아져 나오는 느낌이 지나치게 선명해 알아챌 수밖에 없었다. 순간 눈앞이 아득해졌다. 다행히 검은 바지를 입고 있었지만, 생리가 샐까봐 너무 불안했다. 면접을 마친 후 일어났는데 의자에 생리혈이 묻어 있으면 어떡하지? 생리가 신경 쓰여 도저히 면접에 집중할 수가 없었다. 면접을 보는 내내 식은땀을 흘렸고, 머리가 새하얘

져서 빨리 면접을 끝내야 한다는 생각밖에 들지 않았다. 다행히 의자까지 생리가 새지는 않았지만, 면접은 망했다. 생리 때문이라고는 말할 수 없겠지만, 그렇지 않다고도 말하기는 힘들 것이다. 왜 생리를 미리 대비하지 못했을까 후회스럽고 스스로가 한심했지만, 면접 준비로 너무 바빠 생각조차 해보지 못한 부분이었다. 면접 당일에 생리가 터져 면접 날짜를 미뤘다는 친구의 이야기가 떠올랐다. 당연히 생리 때문이라고는 말을 못하고 적당한 핑계를 댔다고 들었다. 어떤 이유에서든, 면접 날짜를 미루는 행위는 무책임하게 비춰질 것이었다. 그 이야기를 들었을 때는 날짜를 미룰 것까지 있나 싶었지만, 막상 내가 겪고 나니 뼛속 깊이 이해가 됐다. 생리는 내 의지로 조절할 수 있는 것이 아니지 않은가. 남자들은 고민조차 하지 않아도 되는 문제라는 생각에 너무 억울했지만, 뭐 어쩌겠는가. 생리혈이 새지 않은 걸 다행으로 여겨야지.

생리 중 섹스

생리 중에 섹스를 해도 될까? 이런 의문은 누구나 한 번쯤은 가져본 적이 있을 것이다. 누군가는 생리 중에는 위험하기 때문에 하지 말라고 하고, 누군가는 상관없다고 말한다. 생리 중 섹스에 환상을 가진 사람도 있고, 역겨운 감정을 가진 사람도 있다. 사실 생리 중 섹스는 여성의 몸에 그리 좋은 편은 아니다. 특히 섹스 도중 생리혈이 포궁 내막으로 역류하게 되면 매우 위험할 수 있다. 하지만 우리 주변에 생리 중 섹스를 경험한 여성들은 생각보다 많다. 그렇다면 이러한 이야기들도 더 많이 공유되어야 하는 것 아닐까?

*

A 나의 생리 중 섹스는 별로 좋은 기억은 아니었다. 상대의 반응이 어떨까 걱정되고 부끄럽기도 했다. 피가 시트에 묻을까봐 수건을 왕창 깔고 했지만 결국 침대에 다 묻었

다. 삽입할 때 통증이 굉장히 심했고, 성기가 아주 예민해져 있다는 것이 느껴졌다. 생리혈과 분비물이 너무 많아서 성감이 별로 좋은 것 같지도 않았다. 심리적인 문제인지도 모르겠지만, 덜 청결하고 비위생적일 것이라는 생각이 들어서 계속 신경이 쓰이기도 했다. 다시는 시도해보고 싶지 않은 경험이다.

B 생리 중 섹스를 시도하기 전, 나는 인터넷에서 여러가지 정보를 검색해보았다. 생리 중엔 포궁문이 열려 있어 외부 자극에 더 취약하고 감염되기가 더 쉽기 때문에 콘돔을 꼭 착용해야 한다는 이야기를 비롯해, 생리 중 섹스가 여자 몸에 해로운가 그렇지 않은가에 관한 갑론을박이 펼쳐져 있었다. 실제로 내가 시도해본 생리 중 섹스는 별로였다. 포궁이 평소보다 부풀어 있는 것이 느껴져 삽입을 조금만 해도 포궁 경부에 닿아 아팠고, 쾌감은 전혀 느껴지지 않았다. 무엇보다 섹스가 끝난 후 빨간 피에 범벅이 되어 있던 남자친구의 성기를 보고 충격을 받아 그 장면이 트라우마처럼 남아버렸다. 그 후로 다시는 생리 중 섹스를 시도하지 않는다.

C 예전에 사귀었던 남자친구가 생리 때 섹스하는 걸 좋아해서 억지로 했다. 생리혈이 낭자한 침대 시트를 청소해야 할 분에게 너무 죄송했고 죄책감이 들었다. 그 이불은 버려야 했을 테고, 내 몸에도 그리 좋은 일은 아니었을 것이다. 그러나 이 죄책감은 나만 느꼈던 것임이 분명하다. 남자친구는 계속해서 생리 중 섹스를 요구했으니까. 지금 생각하면 역겹다.

D 생리 중에 성욕이 돋아 섹스를 시도하는 여자들도 있다고는 들었는데, 나 같은 경우 정확히 그 반대다. 생리 전에는 성욕이 왕성해지지만, 생리가 시작되면 욕망이 뚝 끊긴다. 그래서 생리 도중에 성욕이 오른다거나 섹스를 하고 싶다고 생각해본 적은 없다. 그래서 생리 중에 섹스하자고 조르던 남자친구의 요구를 칼같이 거절했던 기억이 있다.

E 생리 중에 섹스하면 피임을 안 해도 되지 않냐고 묻던 전 남자친구가 생각난다. (당연히 사실이 아니다. 언제든 임신의 위험은 있기 때문에 피임을 꼭 해야 하고, 특히 생리 중에는 감염의 위험이 커지므로 콘돔을 필수로 착용해야 한다.) 그 애가 요구해서 어쩔 수 없이 생리 중에 섹스한 적이 있는데, 아프기만 하고 전혀

좋지 않았다. 문제는 그 후부터 생리혈 양이 급증했다는 점이다. 아무래도 포궁에 자극이 가서 그런 것 같았다. 생리 끝물이어서 평소라면 아주 적은 양의 피만 나와야 할 시기인데, 섹스 이후 생리혈이 갑자기 너무 많이 쏟아져서 걱정했다. 다행히 며칠간 쏟아지던 피는 곧 멈추었다. 그때 혼자 걱정하며 별별 무서운 상상을 다 했던 기억 때문에, 다시는 생리 중 섹스를 시도하지 말아야겠다고 다짐했다.

사후 피임약의 저주

이성과의 성관계를 경험한 여성이라면 누구든 인생에 최소 한 번쯤은 사후 피임약을 먹게 될 날이 온다. 많은 사람들이 사후 피임약을 먹는 여성을 부주의하고 무책임하다고 욕하지만, 자기 몸은 자기가 가장 소중히 여기고 자기가 가장 심각하게 걱정한다. 사후 피임약을 먹고 싶어서 먹는 여성은 없다. 어쩔 수 없는 사고로 먹게 되는 경우가 대부분이다. 하지만 그로 인한 사회적 비난도, 사후 피임약이 몰고 오는 신체적 및 정신적인 스트레스도 온전히 여성의 몫이다.

사후 피임약은 일반 피임약에 비해 호르몬 함량이 약 열배 이상 높은 약으로, 호르몬 농도를 인위적으로 갑자기 폭발적으로 증가시켜 임신을 막는다. 여성의 몸에 호르몬 핵폭탄을 터뜨리는 것과 같다. 따라서 당연하게도 사람에 따라 매우 극심한 부작용을 경험하기도 한다. 이처럼 여성이 감내해야 하는 고통에도 불구하고, 사후 피임약을 먹거나 임신중단(낙태)하는 여성을 향한 혐오의 시선은 아직도 사회에 만연하다. 섹스는 혼자 하는 게 아닌데도 말이다. 임신하기로 합의한 성관계가 아니라면 당연히 여성은 사후 피임약을 먹을 권리가 있고 임신중단할 권리가 있다. 고통도 책임도 모두 여자의 몫이라면, 여자가 남자와 섹스를 해야 할 이유가 대체 뭐란 말인가? 대부분의 경우 남자와의 섹스로는 그다지 대단한 쾌감을 느끼지도 못하는데 말이다.

아무튼, 피임의 책임이 전적으로 여자에게 있고 남성용 피임약은 상용화가 되지 않는 남성 중심 사회인 덕분에 여자들은 몸에 치명적인 사후 피임약을 종종 먹어야만 한다. 여성이 어떻게 사후 피임약을 먹게 되는지, 그리고 그것이 여성의 몸에 어떠한 변화를 가져오는지 알아보자.

*

A 나는 고등학생 때 성 지식이 부족한 상태에서 첫 경험을 한 적이 있다. 성에 너무 무지했기 때문에 첫 경험 후 나오는 분비물을 정액으로 착각해서 사후 피임약을 복용했다. 너무 비싸서 고등학생 신분으로는 사기 부담스러웠지만, 부끄러워서 남자친구에게는 말하지 않고 혼자 사서 먹

었다. 그 후 오랫동안 하혈하며 정신적 불안과 스트레스,
신체적 고통을 감내해야만 했다.

B 관계하던 도중에 콘돔이 빠졌는데 상대가 그 사실을
모른 채 질 내 사정을 해서 다음 날 바로 산부인과에 가서
사후 피임약을 처방받아 먹었다. 무섭고 불안했는데 걱정
했던 것만큼 심각한 후유증은 없었다. 다만 생각보다 가격
이 비싸서 돈이 아까웠다.

C 관계하다 콘돔이 찢어져서 아침이 되자마자 근처 산부
인과에 가서 사후 피임약 처방을 받은 적이 있다. 콘돔을 사
용했는데도 찢어진 것이었기 때문에 더 억울했다. 산부인과
의사는 나를 콘돔 없이 관계한 무책임한 사람으로 취급하
며 다음부터는 이런 일이 없게 하라고 혼냈다. 여섯 시간 만
에 사후 피임약을 먹었는데도 임신이 걱정되고 너무 불안해
서 2주 동안 지옥을 경험했다. 사후 피임약의 극심한 부작
용은 익히 들어 알고 있었지만, 다행스럽게도 나는 그렇게
심한 부작용은 겪지 않았다. 다만 하혈은 조금 했다. 2주 동
안 거의 서너 번은 임신 테스트기를 사서 수시로 임신 여부
를 체크했던 것 같다. 집에서 하면 부모님이 알게 될까봐 공

중 화장실의 차가운 변기 위에 앉아 테스트를 했다. 임신 테스트기에 소변을 흡수시키고 빨간 줄이 뜰 때까지 기다리는 그 오 분이 정말 온몸의 피를 말렸다. 혹시나 두 줄이면 어쩌나, 쿵쿵 날뛰는 심장 박동을 애써 억누르며 곁눈질로 임신 테스트기를 확인했을 때 한 줄이어서 한숨 돌리는 과정을 서너 번은 반복하고 나서야 안심하고 그 짓을 그만두었다. 그 후에도 생리가 시작되기 전까지 매일 불안한 나날을 보내야만 했다. 결국 생리가 터졌을 때는 너무 다행스럽고 기뻐서 소리를 질렀다. 생리가 그때처럼 사랑스러웠던 적은 단언컨대 내 인생에서 처음이었다. 아, 나 임신 아니다!

D 남자친구와 관계를 할 때 순간 제대로 된 판단을 못하고 피임을 하지 않았다. 나에게는 7센티미터에 달하는 난소낭종이 있기 때문에 바로 사후 피임약을 복용했다. 그 후 배란기 때 정말 미친 듯이 아파서 분명 사후 피임약이 물혹을 더 악화시켰으리라 짐작했다. 사후 피임약을 먹은 후 두 번의 주기를 건너뛴 후에 그 어느 때보다 고통스러운 생리를 경험하고 있다.

E 어쩌다 술에 취한 상태로 아는 남자와 성관계를 하게

되었다. 술에 너무 취해 내 의지로 섹스를 하게 된 건지는 잘 모르겠다. 의식이 반쯤 날아가 그저 그 남자가 이끄는 대로 따랐던 것 같다. 그런데 갑자기 관계 도중에 그 사람이 콘돔 없이 그냥 안에 해도 되냐고 물었다. 술에 취해 몽롱했던 정신이 그 순간 갑자기 찬물이라도 맞은 것처럼 번쩍 깨어났다. 아니, 그건 안 돼요, 하지 마세요, 오빠, 제발요. 끝없이 애원했지만, 그 남자도 술에 취해 풀린 눈으로 계속 물었다. 그냥 안에다 하면 안 돼? 응? 응? 제발. 등골이 오싹해질 정도로 너무 무서웠다. 그 순간만큼은 분노보다도 진짜 그 사람이 안에 해버릴 상황이 훨씬 더 무서웠으므로 나는 그를 멈추기 위해 애원했다. 몇 분간의 실랑이 끝에 결국 그 남자는 다행히 질 외 사정을 했지만, 그때 내 기분은 딱 죽고 싶었다. 사정한 후에 엎어져 잠든 남자의 머리를 내리쳐 죽이고 싶은 충동을 억누르며 씻지도 않고 바로 옷을 챙겨입고 나와 택시를 타고 집에 갔다. 다음 날 깨어났는데, 내 기억상으로는 그 남자가 질 외 사정을 한 것이 분명했지만 불안한 마음은 가시지 않았다. 술에 취한 상태였기 때문에 제대로 기억하고 있는 게 맞는지도 명확하지 않았다. 사실 내가 술에 취해 자는 사이에 그 남자가 질 내 사정을 했을지 누가 아는가? 결국 불안을 이기지 못하고 병원에 가서 사후 피임약을 처방받아 먹었다.

*

내 친구들과 마찬가지로 나 역시 어쩔 수 없이 사후 피임약을 먹게 된 적이 있다.

남자친구와 관계를 한 후 콘돔을 확인했는데 찢어져 있었다. 평소에 경구피임약을 챙겨먹는 이중 피임을 하지 않았기 때문에 멘붕이 왔다. 그날 밤에 인터넷에 사후 피임약의 각종 부작용을 검색해보며 내내 불안에 떨다 아침에 일어나자마자 사후 피임약을 사다 먹었다. 걱정했던 것처럼 먹은 즉시 구역질이 올라오거나 심한 복통이 찾아오진 않아서 한시름 놓았다. 그러나 진짜 문제는 그 후였다. 나는 사후 피임약의 온갖 부작용을 가장 지독하게 겪은 케이스다. 사후 피임약을 먹은 후에 안 그래도 불규칙했던 생리 주기가 아예 뒤죽박죽이 되어버려 조금도 예측할 수 없게 되었다. 어떤 달에는 아예 생리를 안 하고 넘어가기도 하고, 어떤 달에는 생리를 두세 번씩 하거나 이어서 2주간 하기도 했다. 질에서 흐르는 피가 생리혈인지 부정 출혈인지도 정확히 알 수 없었다. 도대체 언제 피가 흐르고 멎을지 몰라서 거의 한 달 동안 생리대를 내내 착용하고 다닌 적도 있다. 극심한 호르몬 불균형으로 PMS가 계속 지속되듯 감정 기복과 식욕 및 성욕의 폭발을 몇 달 내내 경험했다. 지옥 같은 부작용은 끝없이 이어졌다. 원래부터 나를 고통스럽게 했던 PMS 증상들이 몇 배는 더 심해졌다. 거의 반년 동안 생리 주기가 제멋대로였고 끊임없이 하혈했으며 온갖 스트레스와 우울증에 시달렸다. 가장 큰 몸의 변화는 얼굴 전체에 심한 여드름이 나기 시작한 것이었다. 전에는 생리 전에 주로 입가와 턱에만 여드름이 났는데, 사후 피임약을 먹은 이후부터 온 얼굴로 여드름이 번졌다. 식욕이 미친 듯이 폭발하여 살도 무지하게 쪘다. 날뛰는 호르몬의 작용은 내 의지로 조절할 수 있는 것이 아니었다. 만나는 사람마다 왜 그렇게 피부가 뒤집어졌냐, 왜 그렇게 살이 쪘냐는 질문을 했지만 사후 피임약 때문이라고 말할 수는 없기에 그냥 나도 모른다고 답했다. 사실은 나도 진짜 잘 몰랐다. 단지 사후 피임약 때문에 이렇게 오랜 기간 고생했다는 이야기는 들어본 적이 없었다. 너무 억울하고 화가 났다. 왜 나에게만 이런 고통이 주어지는 걸까. 사후 피임약이 여자 몸에 매우 치명적이라는 이야기는 자주 들었지만, 이 정도일 줄은 몰랐던 것이다. 이런 무시무시한 약을 여자들이 일상적으로 접하며 살아가야 하는 사회에 분노가 들끓었다. 왜 남자들은 섹스할 때 아무것도 감수하지 않아도 되지? 왜 모든 부작용과 해악은 여자들만이 감수해야 하지? 왜 남자는 피임약을 먹지 않지? 섹스는 둘이 했는데 왜 나만 힘들어야 하지? 사후 피임약이 내 몸을 최악으로 망쳐갈 때, 남자친구는 그 어떤 죄책감도 책임감도 없이 두 발 쭉 뻗고 자고 있었다. 아무리 기다려도 부작용이 끝날 것 같지 않아 반년 쯤 지났을 때 산부인과를 찾았다. 초음파 검사를 해보자고 했다. 오만 원이 깨졌다. 그때 처음으로 다낭성 난소 증후군이라는 것을 진단받게 되었다. 임신이 잘 안 될 확률이 높고 여드름이 발생하며 탈모와 비만이 올 수 있고 심해지면 포궁내막암이나 유방암의 발생률이 높아질 수 있다고 했다. 하지만 심각한 수준은 아니므로 꾸준한 치료를 통해 증상을 개선할 수는 있다고 했다. 다낭성 난소 증후군이라니, 태어나서 처음 들어보는 말이었다.

다낭성 난소 증후군

다낭성 난소 증후군은 사실 우리 주변의 꽤 많은 여성이 겪고 있다. 다낭성 난소 증후군이란 호르몬 불균형으로 인해 난소에 미성숙한 난포가 여러 개 존재하는 증후군이다. 생리불순, 극심한 PMS와 생리통, 잦은 부정 출혈, 호르몬성 여드름, 다모증, 탈모, 비만, 무월경, 과다 월경, 난소낭종(난소에 생기는 물혹) 등 다양한 증상으로 나타나는데 사람에 따라 다르다. 나 같은 경우 심한 다낭성 난소 증후군은 아니어서 시간을 두고 경과를 지켜보거나 호르몬제(경구피임약 4세대 : 여드름, PMS, 생리통 완화 목적)를 투여할 수 있다는 산부인과의의 소견이 있었다. 원래 생리불순이 있었고 여드름과 PMS와 생리통도 심한 편이었는데, 사후 피임약이 터뜨린 호르몬 폭발로 인해 내 몸의 호르몬이 급격하게 불안정해져서 다낭성 난소 증후군까지 몰고 온 듯싶었다. 집에 돌아와 고민에 빠졌다. 호르몬제를 꼭 먹어야만 할까. 왠지 호르몬제는 먹기가 무서웠다.

열아홉 살 때, 수능을 한달 앞두고 경구피임약을 복용한 적이 있었다. 수능날에 생리가 터지면 안 되기 때문에 혹시 몰라 생리를 지연시키기 위한 의도였다. 다행히 수능날에 생리가 터지는 비극은 없었지만, 그 후 거의 세 달 동안 생리를 안 했다. 세 달 후부터는 서서히 생리가 다시 돌아오기 시작했지만, 주기가 안정화 되기까지 꽤 오랜 시간이 걸렸다. 그때 이후로 나는 호르몬제가 몸에 좋지 않은 영향을 미친다는 생각을 하게 되었다. 지금 생각해보면 스트레스가 심하고 살이 많이 쪘던 고3일 때라 평소에도 생리불순이 심했고, 경구피임약도 복용법을 제대로 지키지 않고 먹어서 그랬던 것 같다. 어쩌면 다낭성 난소 증후군이 그때부터 시작된 것일 수도 있다. 나는 이제야 그 증후들의 이름을 발견한 것이고.

집에 돌아와 아빠에게 병원에서 들은 이야기를 전했다. 하지만 약사인 아빠조차 다낭성 난소 증후군이 무엇인지 잘 몰라 네이버에 검색해보고는 나도 이미 아는 내용들만 설명해 주었다. 아빠는 호르몬제는 인위적이기 때문에 여자 몸에 좋지 않으니 먹지 말라고 했다. 차라리 운동과 식이조절을 하고 생활습관을 규칙적으로 바꾸는 편이 낫지 않겠냐고, 살부터 빼라고 했다. 일단 호르몬제는 먹지 말고 경과를 지켜보자고 했다. 약사인 아빠가 나보다야 잘 알겠지 싶어 그러자고 했다. 그렇게 또 반년이 흘렀다. 그동안 나아진 건 아무것도 없었다.

또다시 반년 후. 사후 피임약을 복용한 지 거의 일 년 만에 또다시 산부인과를 찾았다. 초음파 검사 비용 오만 원은 여전히 결제할 때마다 손이 떨렸다. 일 년이 지났지만, 아직도 생리불순, 여드름, PMS, 생리통, 감정 기복, 우울감 등 생리로 받을 수 있는 고통이란 고통은 다 받고 있는 상태였다. 의사는 또다시 호르몬제를 추천해주었다. 호르몬제는 인위적이어서 몸에 좋지 않다던데요. 아빠가 안 먹는 편이 낫대요. 나의 고민을 솔직하게 털어놓았을 때 의사 선생님이 해주셨던 말씀을 아직도 잊을 수 없다.

천연만 좋은 건 아니에요. 왜 다들 천연만 찾는지 모르겠어. 몸에 안 좋은 천연도 많아요. 인위적이라고 나쁜 것도 아니고. 아빠가 뭘 걱정하시는지는 알겠는데, 내가 산부인과 의사예요. 다낭성 난소 증후군에는 호르몬제를 투여하는 게 가장 효과적이에요.

그날 바로 호르몬제를 처방받아 아빠에게 보냈다. 다행히 나는 아빠가 약사이기 때문에 약값을 아낄 수 있었지만, 가격이 생각보다 꽤 높아서 매달 이 약을 자비로 충당해야 한다면 재정적으로 큰 부담이 될 것 같았다. 집에 가는데 의사 선생님이 해주신 말이 귓가에 계속 맴돌았다. 천연만 좋은 건 아니에요. 인위적이라고 나쁜 것도 아니고. 그 말에 나는 왜 알 수 없는 위로를 받았을까. 호르몬제와 진통제는 인위적이고 부자연스럽기 때문에 지양해야 한다는 편견이 내 안 어딘가에 남아 있었던 탓일까. 하지만 사실 호르몬제 투여는 불안정한 나의 호르몬을 안정화하고 균형을 맞추기 위한 적절한 치료법이었다. 물론 인위적으로 호르몬을 투여하기 때문에 부작용이 없을 수는 없다. 4세대 경구피임약의 경우 흡연을 하거나 혈압이 높다면 혈전의 위험성이 있다. 따라서 약 복용 중에는 흡연을 하면 안 된다. 하지만 적어도 그때의 나에게는, 호르몬제가 가장 적절한 처방이었다.

호르몬제가 인위적이고 부자연스럽다는 논리는 사실 위험할 수 있다. 그렇다면 과연 나의 호르몬 불균형은 자연스러운 걸까? 다낭성 난소 증후군을 그냥 내버려둬서 불임과 합병증과 각종 암의 발생 위험을 높이는 것은 자연스러운 걸까? 고통스러운 PMS와 생리통을 약 없이 견뎌내는 게 자연스러운 걸까? 생리 날짜를 예측할 수 없는 생리 불순인데도, 포궁 신의 운에 맡기며 살아가는 게 자연스러운 걸까? 자연스러운 것과 인위적인 것의 경계는 무엇이며, 왜 우리 사회는 자연의 법칙을 따르지 않는 여성을 너무도 쉽게 질타하는 것일까. 이러한 사고방식은 비혼과 비출산을 선택한 여성에게도 폭력적으로 작용할 수 있다. 생리를 안 하기로 선택한 여성에게도 큰 짐을 지워줄 수 있다. 임신을 중단한 여성에게는 어떠하겠는가. 그 모두는 자연스러운 번식 욕구와 자연의 법칙을 거스른 죄인이 된다. 가부장제 사회에서 여성은 문명보다 열등한 자연의 영역에 속하므로 남성보다 취약한 존재임과 동시에, 문명의 힘을 빌려 자연의 영역을 벗어나려고 할 때는 비정상적인 여자로 낙인찍힌다.

하지만 여성은 그 모든 편견과 폭력적인 잣대에서 벗어나 자유롭게 선택할 수 있어야 한다. 정확한 정보를 토대로 자신을 위한 최적의 선택을 할 수 있어야 한다. 인터넷의 허위 정보나 광고, 여성혐오와 편견과 유언비어가 아니라 제대로 된 정보를 접하고 주체적으로 선택할 수 있는 권리를 보장받아야 한다. 더 이상은 제도권 성교육을 지금과 같은 미성숙한 수준으로 방임해둘 수는 없다. 아직도 수많은 여자 아이들이, 또한 성인 여성들이 잘못된 정보와 무지로 고통받고 있다. 여성은 자신의 몸과 성에 대한 올바른 교육을 받을 권리가 있다. 그건 국가의 몫이고 사회의 몫이다. 더 이상은 여성의 문제를 나중으로 미뤄서는 안 된다. 이것은 사소하고 개인적인 문제가 아니라, 필수적이며 아주 중요하고 우리 모두가 당장 직면해 있는 정치적인 문제다. 이것은 좁게는 월경의 문제지만, 크게는 여성의 몸과 성을 해방하고 여성성을 둘러싼 오랜 편견과 오해의 역사를 바로잡는 문제다. 우리는 국가에 끊임없이 요구해야 한다. 나의 삶과 몸은 그 자체로 치열한 정치적 투쟁의 장이다. 이 사실을 잊어서는 안 된다.

'증후군'이라는 말의 무책임함

약사인 아빠조차 잘 모르는 다낭성 난소 증후군. 원인과 기전이 불확실한 월경 전 증후군. '증후군(syndrome)'이란 것이 대체 무엇일까. 질병일까? 질병이라면 병의 원인과 확실한 치료법이 있어야 하는 것 아닐까? 다낭성 난소 증후군과 월경전 증후군은 원인도 불명확하고 완치라는 개념도 없다. 증상의 악화를 막고 더 큰 병을 최대한 예방할 수 있을 뿐이다. 증후군의 치료는 완치가 아니라 개선이 목표다. '증후군', 이처럼 무책임한 말이 또 있을 수 있을까.

과연 남성의 증후군이었다면 이렇게 원인과 기전을 밝히지도 못하고 피임약에만 의존한 채 모호하게 남아 있었을까? 도대체 여성 건강에 관한 연구는 왜 이렇게도 더딘 것일까? 기술이 이렇게나 발전했는데, 왜 여성은 우리의 몸에 대한 충분한 연구를 바탕으로 다양한 치료법과 치료제를 접할 수 없는 것일까. 무엇이 그러한 연구를 가로막고 있는 것일까. 기술의 부족이나 의사 개인의 역량 부족이라고는 생각이 들지 않는다. 왜 나는, 그 벽이 여성혐오일 것이라는 타당한 의심이 드는 걸까.

　내 포궁에서 다낭성 난소 증후군의 패턴이 보인다고 아빠에게 말했을 때, 나는 이유 모를 화와 억울함으로 가득 차 있었다. 산부인과에서는 정확한 원인은 알 수 없다고 말했지만, 단지 사후 피임약 때문만은 아닐 것이라고 했다. 어릴 때부터 생리불순이 심했으니 어쩌면 그 전부터 내 몸속에 잠재되어 있던 증상들이 사후 피임약 복용을 기점으로 하여 불거져 나온 것일 수도 있다. 그렇다면 나의 다낭성 난소 증후군은 유전이 아닐까? 그 누구도 정확한 이유를 말해주지 않았지만 나는 그렇게 짐작했다. 선천적인 불편함을 얻는다는 건 생각보다 억울하고 화가 나는 일이었다. 완치될 수 없는 증후군이라면 대체 언제까지 치료를 받아야 하는 걸까? 호르몬제를 언제까지 먹어야 할까? 일이 년 먹고 나면 그만둬도 될까? 그 후에 재발하면 어떻게 하지? 죽을 때까지 약을 달고 살아야 하나? 출산하면 나아질 수도 있다던데, 나에게는 출산의 계획이 딱히 없다. 끝이 보이지 않았다. 막막한 기분에 아빠에게 투정을 부렸다. 원인이 뭔지 묻는 아빠에게 툭 쏘아붙였다.

나도 잘 몰라. 유전이겠지.

그러자 아빠가 갑자기 불같이 화를 냈다.

유전이라고 하지 마. 그러면 방법이 없는 거잖아. 증후군은 병이 아니야. 이런저런 증상들이 있다는 거지. 적절하게 대처하고 생활 습관 개선하면 충분히 나아질 수 있어.

증후군은 병이 아니야. 이런저런 증상들이 있다는 거지. 아빠가 해준 그 말 또한 나에게 위로가 되었다. (원체 아빠는 모든 것에 생활 습관의 관점에서 접근하는 면이 있긴 하지만.) 증후군을 병적인 것으로, 치료해야 할 질병으로 취급하는 사회적 분위기에 나도 모르게 피로감을 느끼고 있었나 보다.

'증후군'이란 말은 참 무책임하고 나의 월경 전 증후군과 다낭성 난소 증후군은 어쩌면 아주 오래 나와 함께일지도 모른다. 하지만 이것을 치료해야 할 질병이 아니라 그저 내 몸에서 일어나는 몇 가지의 증상으로 여긴다면, 이는 굳이 완치될 필요가 없는 것인지도 모른다. 그저 생활 습관이 나빠지면 감기에 걸리고 면역력이 떨어지면 몸살이 나듯, 나의 몸을 꾸준히 건강하게 관리하기 위한 일종의 주기이자 지표가 되어줄지도 모른다. 그리하여 나는 내 증후군들을 겸허한 마음으로 받아들이고 내 몸에 더 세밀한 관심을 갖기로 했다. 나의 몸을 가장 소중히 여길 수 있는 사람은 바로 나이므로, 내 몸을 더 찬찬히 돌봐주기로 했다. 정기적으로 산부인과에 방문하고 약을 챙겨 먹고 운동을 하고 좋은 음식을 먹고 규칙적인 생활을 하며, 그렇게 나의 증후군들을, 나의 포궁을 건강하게 보살피겠다고 다짐했다. 그것이야말로 지금껏 내 몸이 나에게 진정으로 바라던 일들이라는 생각이 들었다.

호르몬제

산부인과에서 처방받은 호르몬제를 먹기 시작했다. '경구 피임약'이라는 말은 별로 쓰고 싶지 않다. 호르몬제를 꼭 피임만을 위해 먹는 건 아니기 때문이다. 경구피임약은 피임을 위해서만 먹는 약이 아니라, 나처럼 호르몬을 조절하고 호르몬 불균형을 치료하기 위해서, 생리 주기를 맞추기 위해서, 혹은 여드름 치료를 위해서 먹기도 한다. 내 친구 중 한 명은 생리를 중단하기 위한 목적으로 호르몬제를 처방받아 먹는다. 같은 맥락에서, 콘돔을 '피임 도구'라고 부르는 것도 마음에 들지 않는다. 콘돔은 꼭 피임만을 위해 착용하는 것이 아니다. 성병 예방을 위해서도 콘돔은 필수다. 뿐만 아니라 생리를 멈출 수 있는 미레나, 임플라논 등의 기구를 '피임 기구'라고 부르는 것도 별로다. 꼭 피임만을 위해서가 아니라 생리를 하기 싫어서 월경 중단을 선택한 여성들도 많다. 이런 사소한 용어 하나하나에서도 이 사회에서 여성의 성이 얼마나 번식의 필요와 밀접하게 붙어 있는지 확인할 수 있다. 이 사회에서 여성은 마치 피임을 위해서만, 혹은 임신과 출산을 위해서만 존재하는 생물 같다. 여성은 그런 일차적인 번식의 필요보다 더 다양한 목적을 위해 섹스를 하고 월경을 하고 호르몬제를 먹는다.

처음 호르몬제를 처방받았을 때 나는 이유 모를 불안감과 두려움에 휩싸였다. 인터넷에는 경구피임약에 대한 불안감을 조장하는 온갖 미신이 넘쳐났다. 대부분 호르몬제를 장기간 복용하면 몸에 좋지 않다, 임신이 불가능해진다, 여드름이 폭발한다, 살이 엄청나게 찐다, 우울해진다, 자연스럽지 않기 때문에 몸에 해롭다 등의 이야기들이었다. 물론 몸에 호르몬제가 잘 안 받는 사람들도 있다. 호르몬제를 복용한 후 우울해지고 속이 메스꺼워져서 중단한 친구들도 있다. 하지만 본인이 직접 복용해보기 전에는 어떠한 효과와 부작용이 있는지 알 수 없다. 개개인의 경험은 모두 다르겠지만, 산부인과 전문의와 상담해본 후에 처방받았다면 큰 문제는 없을 것이다. 하지만 산부인과 의사와 상담해보지 않고 그냥 약국에서 호르몬제를 사서 먹는다면, 어떤 부작용이 있을 수 있는지 제대로 알지 못한 채 약을 복용하게 된다. 이 사실만 잘 생각해보더라도, 한국 사회에서 여성의 성이 얼마나 번식의 필요성과 밀접하게 붙어 있는지

알 수 있다.

인터넷에 떠도는 호르몬제의 부작용에 대한 이야기들은 대부분 과장된 경우가 많다. (그런 이야기들의 결말은 보통 한의원 광고로 끝난다.) 여성의 몸을 둘러싼 온갖 걱정과 관심은 비정상적인 불안감을 조장하여 소비를 촉구할 뿐, 근거 없는 유언비어가 대부분이다. 외국에서는 우리와 반대로 사후 피임약을 처방전 없이 약국에서 바로 살 수 있고, 경구피임약은 무조건 전문의와 상담한 후에 처방받아야 한다. 한국에서는 반대로 사후 피임약을 산부인과에서 처방받아야만 살 수 있고, 경구피임약은 약국에서 쉽게 구할 수 있다. 전자는 여성의 최소한의 기본권을 보장해줄 수 있는 약이며, 후자는 여성의 건강을 위해 전문적인 지식이 필요한 약이다.

우리는 항간에 떠도는 여성의 몸에 관한 온갖 미신과 정보의 바다에 매몰되지 않고 주체적으로 정확한 정보를 수집할 수 있는 힘을 길러야만 한다. 나는 인터넷에서 호르몬제에 대한 온갖 부정적인 이야기들을 접했지만 그 모든 심각한 부작용들은 나에게는 대부분 일어나지 않았다. 첫 달에는 우울감과 약간의 메스꺼움, 부정출혈 등의 부작용이 있긴 했지만 지속적으로 약을 투여하며 호르몬이 안정화되어 갈수록 그런 부작용들은 사라져갔다. 여전히 생리 첫날에는 몸이 무겁고 아파 누워 있어야 하고, 생리 전에는 여드름과 우울감에 시달리긴 하지만, 전보다는 그 고통의 폭이 훨씬 줄어들었다. 호르몬제를 주기적으로 챙겨 먹으며 시간이 흐를수록 나의 PMS와 생리통은 점차 완화되어갔다. 또한 생리통의 양상이 달라져서 예전에는 첫날과 둘째 날에만 미친 듯이 아팠다면, 지금은 참을 만한 수준의 고통이 생리하는 일주일 내내 지속된다. 어느 편이 더 나은지는 잘 모르겠다. 아무튼 지금은 진통제를 하루에 한두 알만 먹으면 허리와 골반 부근이 약간 뻐근한 느낌밖에는 남지 않게 되었다. 진통제를 한두 알만 먹고 참을 수 있는 수준의 통증이란 내게 참 생소한 것이었다. 심리적인 이유인지는 모르겠지만 여드름도 약간 줄어든 것 같고 식욕과 성욕이 미친 듯이 날뛰지도 않게 되었으며, 따라서 살도 조금 빠졌고 생리 전에 기승을 부렸던 우울감도 누그러졌다. 확실히 호르몬이 안정된 것이 느껴졌다. 생리불순도 완화되어 생리 주기가 비교적 일정해졌으며, 생리량도 줄어들었다. 예전에는 생리량이 들쑥날쑥해 첫날과 둘째 날에는 양이 너무 많아 낮부터 오버나이트를 서너 개씩 갈아야 했고, 4일 차 정도부터는 부정 출혈인지 생리인지 구분이 안 될 정도로 생리량이 줄어들었다. 호르몬제를 복용하면서부터는 생리량이 점차 일정해져서 편하다. 한 가지 문제라면, 호르몬제 챙겨먹는 것을 하루라도 잊고 건너뛰게 되면 바로 호르몬 분비가 되면서 생리가 터진다는 점이다. 호르몬제의 기본 원리는 호르몬 조절을 통해 배란을 억제하는 것이므로 달마다 생리를 하기 위해 생리 기간에 맞추어 4일 정도 위약을 먹는데, 그 기간이 아니라 다른 때 호르몬제 먹는 것을 깜빡하면 생리 기간이 뒤죽박죽이 될 수 있다. 하루라도 호르몬제를 건너뛰면 바로 얼굴이 화끈거리면서 여드름이 올라오고, 질에서 피가 흐르며, 포궁 안에서 대대적인 보수 공사가 일어나고 있음을 고스란히 느낄 수 있는 생리통이 찾아온다. 그래서 번거롭지만 매일 같은 시간에 꼭 호르몬제를 한 알씩 챙겨먹어야 한다.

이제는 저녁 일곱 시에 알람이 울리면 요일별로 스티커를 붙여놓은 약통을 자연스럽게 꺼내 새끼손톱보다 작은 알약을 물도 없이 입안에 털어넣고 꿀꺽 삼킨다. 몇 번 빼먹은 뒤에는 일곱 시 십 분에도 '약 먹었어?!'라는 제목의 알람을 추가로 맞추어 두었다. 수업을 하면서, 운동을 하면서, 밥을 먹으면서, 친구와 대화를 하면서, 술을 마시면서, 심지어 콘서트를 보러 가서도 문제없이 약을 챙겨 먹었다. 익숙해지니 별로 귀찮거나 불편할 일도 없다. 그저 내 생활 패턴

중의 하나가 되었다. 나한테는 호르몬제가 잘 맞는 편이라 앞으로도 경과를 지켜보며 계속 복용할 예정이다. 그러니 여성을 불안과 공포에 몰아넣으려는 협박에 가까운 수많은 광고들에 현혹될 필요는 없다. 다만 산부인과를 가까이 하고, 전문의와 소통을 하자. 내 몸에 지속적인 관심을 가지고 가장 적절한 조치를 취하도록 하자. 내 몸과 소통하고 나와의 신뢰를 쌓자. 그게 바로 내 몸을 진정으로 이해하고 사랑할 수 있는 가장 빠르고 올바른 길이다.

생리 공결

내일은 학과 사람들과 영화 촬영이 있는 날이다. 단편 영화 제작이 다 그렇듯, 촬영 장비 반납 시간에 쫓겨 매우 타이트한 일정이다. 아침 여덟 시에 학교에 집합해 새벽 두 시까지 촬영 일정이 잡혀 있는데, 말이 여덟 시지 연출부인 나는 새벽 첫차를 타고 학교에 가야 한다. 문제는 곧 생리가 터질 것 같은 예감이 든다는 거였다. 워낙 생리 주기가 불규칙하기도 하고, 하루 이틀 정도는 오차범위 내에 들어가기 때문에 정확한 생리 시작일을 예측할 수는 없다. 하지만 내 온몸이 말해주고 있었다. 내일 생리가 터지리라고. 나는 애써 불안한 예감을 억눌렀다. 설마 그 다른 많은 날을 두고 굳이 영화 촬영 날에 생리가 터지겠어? 포궁이 내 편이라면 그래서는 안 돼. 제발 생리 터지지 말라고 기도하며 잠에 들었다.

영화 촬영 날, 아침에 눈을 떴는데 생리가 터져있지는 않았다. 안도의 한숨을 내쉬며 새벽같이 밖으로 나섰다. 영화 촬영은 체력 싸움이다. 하루 동안 불가능한 스케줄을 꽉꽉 채워넣어 소화하려면 밥 먹는 시간, 오줌 싸는 시간도 아껴서 발로 뛰어야 한다. 하루 종일 무거운 촬영장비들을 옮기고, 짐을 나르고, 항시 대기하며 필요한 소품을 관리하고, 빨리 찍고 다음 로케이션으로 이동해야 하는데 차가 지나가고 사람이 지나가면 끝없이 재촬영하고, 시간이 딜레이 되면 모두가 예민해져서 작은 실수 하나에도 벌벌 떨고....... 영화를 하루 찍고 나면 다음 날은 온종일 몸져 누워있어야 할 정도로 체력 소모가 어마어마한 작업이다. 체력 소모뿐 아니라 정신적 소모도 매우 크다.

촬영 장비와 짐을 바리바리 싸들고 첫 로케이션에 도착했는데 그 순간 질이 뭔가 물컹한 것을 뱉어냈다. 시발, 생리 터졌다. 욕이 절로 나왔다. 눈앞이 아득해졌다. 아침에 컨디션이 괜찮아서 오늘은 생리가 안 터질 줄 알고 중형 생리대 두 개만 챙겨왔는데, 첫날이면 그걸로는 어림도 없다. 우선 챙겨온 생리대로 급하게 응급처치를 했다. 포궁 밑이 빠지는 느낌이 생생했다. 하필 또 골반을 조이는 스키니진을 입어서 혈액순환이 잘 안 되고 하반신이 마비되는 것 같았다. 촬영이 끝나면 이 바지는 기필코 갖다버리리라 다짐했다. 약국에 진통제를 사러갈 시간 따위 없었을 텐데, 정말 다행히도 진통제는 챙겨와서 재빨리 한 알을 꺼내 먹었다. 촬영 도중에 생리통이 오면 어떻게 될지 끔찍해서 상상도 하기 싫었다. 무거운 장비를 들고 빠릿빠릿하게 움직여야 하는데 생리통이라니. 촬영에 방해가 되고 싶지 않았다.

결국 그날 새벽 두 시까지 촬영을 하며 하루 동안 진통제 총 여섯 알을 먹었다. 생리통이 한 번 시작되면 최소한 삼십 분에서 한 시간 동안 날것의 고통을 느껴야만 하고, 그때 진통제를 먹으면 이미 늦기 때문에 미리 챙겨 먹어야만 한다. 허리에 미약한 통증이 느껴지면 곧 생리통이 올까봐 겁이 나서 닥치는 대로 진통제를 입에 털어 넣었더니, 마지막에는 알약 여섯 개가 사라져 있었다. 하루 동안 진통제 여섯 알을 먹으니 하반신 전체가 마약에 취해 마비된 기분이었다. 찌르는 듯한 날카로운 통각은 없었지만, 온몸이 둔해지고 축축 늘어져서 가만히 앉아 있거나 누워 있고만 싶었다. 하지만 영화 촬영 중이었기 때문에 나는 한시도 가만히 앉아 있지 못하고 계속 움직이며 장비를 날라야 했다. 그저 걷거나 서 있기도 힘겨웠고 허리를 숙여 무거운 장비를 들어 올릴 때는 등골이 오싹했다. 하지만 생리 때문에 일을 못 하고 방해된다는 소리는 죽기보다 듣기 싫어서 온종일 내 몸을 무리하게 희생시켜가며 스스로 만족할 만큼 촬영에 열심히 임했다. 중간에 생리대를 사러 갈 시간도 없어 과 후배들에게 생리대를 동냥해가며 겨우겨우 무사히 촬영을 마쳤다.

새벽 두 시, 열여덟 시간 만에 촬영이 끝나자 그제야 안도감이 밀려왔다. 발바닥은 찢어질 것 같았고 다리는 퉁퉁 부어올라 터질 것 같았지만, 무엇보다 허리춤부터 골반까지는 아예 아무런 감각이 없어 두려웠다. 정신이 혼미하고 머릿속이 핑핑 도는 것 같았는데 피곤하고 힘들어서 그런 건지 진통제 때문인지는 알 수 없었다. 온몸에 힘이 빠져 눈앞이 어질어질했다. 진통제를 배 속에 때려넣으며 어떻게든 촬영을 마쳤지만, 정말 내 몸한테 이래도 괜찮은 건가 싶었다. 촬영한 영상을 외장하드에 백업하며 멍하니 앉아 있자 과 후배가 옆에 와서는 진통제 여섯 알이 비어 있는 걸 보고 놀라며 말했다. 언니, 이 진통제는 하루에 네 알 이상 먹으면 안 좋대요. 다음부터는 너무 많이 먹지 마요. 나를 걱정해주는 후배가 너무 고마워서 눈물이 핑 돌 것 같았는데 겨우 참았다. 오늘 너무 힘들었다고, 나 정말 고생했다고 누군가에게 하소연이라도 하고 싶은 심정이었지만 모두가 힘든 날이었으니 선배가 돼서 겉으로 티를 낼 수도 없었다. 하지만 막차가 이미 끊긴 시점에, 학교나 근처 찜질방에서 자고 가자는 제안은 도저히 받아들일 수가 없었다. 첫

194

날의 어마어마한 생리량에 비해 여기저기서 동냥한 생리대 몇 개로 버티다 보니 속옷에는 이미 피가 다 새서 질척거리는 느낌이 생생했고, 생리통이 언제 재발할지 모르는데 두 알밖에 남지 않은 진통제만 가지고 밖에서 밤을 보낼 엄두는 나지 않았다. 특히 생리가 새는 일이 많은 첫날 밤에, 밖에서 생리혈이 샐 걱정을 하며 잠을 청하고 싶지는 않았다. 불안하고 걱정되어 뜬눈으로 밤을 지새울 것이 분명했다. 당장 집에 가서 샤워를 하고 깨끗한 옷으로 갈아입은 후 쓰러져 죽은 듯이 자고 싶은 마음뿐이었다. 밖에서 자야 한다면 어차피 새 팬티와 생리대, 진통제도 또다시 사야 하고 치약칫솔도 사야할 테니 차라리 그 돈으로 택시를 타고 집에 가는 편이 나을 것 같았다. 집에서 학교까지 거리가 꽤 멀어 택시비가 걱정되긴 했지만, 가격에 상관없이 나는 집에 가야만 했다. 이런 몸 상태로 밖에서 자는 건 말이 안 됐다.

나는 오늘 생리가 터져서 밖에서는 도저히 못 자겠어. 난 택시 타고 집에 갈게.

이렇게 말했을 때 너무나 고맙게도, 과 사람들은 흔쾌히 내 택시비를 공금에서 빼서 지원해주었다. 정말 눈물 나게 고마웠다. 생리 때문에 밖에서 못 자겠으니 택시비를 지원해달라는 염치없는 요구를, 우리 과가 아니면 어디서 들어

195

줄까. 진짜 직장이었다면 감히 입 밖으로도 꺼내지 못할 말이다. 새벽 택시를 타고 집으로 향하며, 미안함과 죄책감과 고마움에 나는 쉬이 잠들지 못했다. 창밖으로 보이는 맞은편 택시 조수석엔 내 또래의 남자가 앉아 있었다. 편안히 눈을 감은 채였다. 나는 살면서 단 한 번도 혼자서 택시 조수석에 앉아본 적이 없다. 이상한 곳으로 데려갈까봐 택시에서 마음 편히 잠을 청한 적도 없다. 택시 기사가 창문을 죄다 열어놓고 달리는 탓에 찬바람에 기침이 나는데도, 창문을 닫아달라는 말을 꺼내지도 못했다. 새벽 두 시가 넘었고, 나는 아무런 분쟁 없이 조용히, 무사히 집에 도착하고 싶었다. 집에 도착하니 몸을 혹사시켜서인지 정말 오랜만에 코피가 터져 있었다. 위아래로 피를 흘렸더니 빈혈이 올 것처럼 정신이 아찔해져서, 나는 대충 씻은 채 곧 죽음 같은 잠에 빠져들었다. 다음 날 일어나니 택시에서 맞은 새벽 바람 때문인지, 단단히 감기몸살이 걸려 있었다.

　문득 그런 생각이 들었다. 여자들은 여태껏 얼마나 많은 것들을 단지 생리 때문에 포기해왔을까. 또한 얼마나 많은 것들을 단지 생리 때문에 포기하고 싶지 않아 이를 악물고 발버둥쳐왔을까. 자신의 몸과 정신과 노동력을 갈아가며,

얼마나 오래 고통을 참고 버텨왔을까. 그날의 나는 좋은 사람들의 배려를 받아 편히 집까지 올 수 있었지만, 이런 대우조차 받지 못하는 여자들이 이 세상에는 얼마나 많을까. 이게 과연 옳은 걸까. 이 모든 고통을 우리 개개인만이 감당해야 하는 사회가 옳은 걸까. 나는 언제까지 이 모든 것들을 감내해야만 할까. 언제까지 이 모든 아픔을 숨기고, 침묵하고, 목구멍 뒤로 억누르며 살아가야 할까.

생리 공결이나 생리 휴가는 역차별이라며, 그런 걸 사용하는 여자들은 이기적인 년들이라고 욕하던 남자들의 얼굴이 떠올랐다. 여자들이 진짜 어떤 삶을 살아가는지, 하루하루를 어떻게 버티며 살아가는지는 아무런 관심도 없던 그 얼굴들. 생리하지 않는 남자가 세상의 중심이며 디폴트라고 철석같이 믿고 있던 남자들. 남자의 몸과 남자의 법칙만이 보편적인 세계의 기준이며 거기서 벗어난 인간은 비정상의 범주로, 남자의 규칙에 끼워 맞춰야 할 것으로 분류하던 폭력적인 남자들. 인류의 반이, 나머지 반보다 절대 사소하거나 보잘것없지 않은 우리가, 매달 생리하며 살아가고 있다는 사실을 전혀 모르는 것처럼 보였던, 적극적으로 무지한 남자들. 여자들을 끊임없이 차별의 구조로 몰아넣으면서도, 자신들이 역차별당하고 있다고 앓는 소리를 하던, 그 끔찍한 남자들.

생리 휴가가 없어서 쓰지 못하는 여자들, 생리 휴가가 있어도 눈치 보여 쓰지 못하는 여자들, 이를 악물고 버티며 생리 휴가를 쓰지 않는 여자들, 손해를 감수하면서도 도저히 버틸 수 없어 생리 휴가를 써야만 하는 여자들. 나의 지난 나날들과 이름도 얼굴도 모를 수많은 여성의 삶이 동시에 떠올랐다.

우리 학교에는 다행히 생리 공결 제도가 있지만, 그마저도 없는 학교들이 많다. 생리 공결이 있다고 마음대로 쓸 수 있는 건 아니다. 생리 공결은 보통 교수의 재량에 맡기기 때문에 생리 공결을 인정해주지 않는 교수님들도 많았고, 한 학기에 한 번만 인정해준다는 교수님도 있었다. 그런 교수를 볼 때면 참 의아했다. 생리나 생리통은 내가 재량껏 조절할 수 있는 것이 아니다. 생리 공결, 혹은 생리 휴가는 정말 최소한의 범위 내에서 여성의 인권을 지키는 제도다.

생물학적 차이가 사회적 차별로 이어진다면 그건 정의롭지 못한 사회다. 생물학적으로 우월하거나 열등한 종은 없다. 그저 차이가 있을 뿐이다. 그 차이로 인해 차별을 받게 된다면 그건 불평등한 사회다. 여성의 생물학적 차이를 근거삼아 끊임없이 여성을 사회적 차별의 구석으로 몰아넣는 구조. 우리는 그것을 성차별이라고 부른다. 여성혐오라고 부른다. 부조리라고 부른다. 그리고 페미니스트가 꿈꾸는 사회는 평등하고 정의로운 사회다.

모든 인류가 월경을 했다면 생리 휴가 따위로 논쟁이 벌어질 일이 있었을까? 모두가 이견 없이 생리 휴가에 동의했을 것이다. 혹은, 여자가 아니라 남자가 월경을 했다면, 그들이 생리 휴가에 딴지를 걸었을까? 그럴 리가 없다. 그러나 지금 세계의 모든 기준과 중심은 남자이기 때문에 여성은 계속해서 남자에게 자신을 증명해야만 한다. 나는 진짜 생리를 해서 휴가를 낸 거야. 거짓말이 아니야. 믿어줘. 나는 생리로 엄청난 고통을 받아. 심한 생리통을 앓고 있어. 병원에서도 이 사실을 증명해줬어. 그러니까 이해해줘. 이렇게 여자들의 괴로움에 일말의 관심도 없는 남자들을 설득하고 이해시켜야만 한다. 우린 언제나 남성의 세계에 편입되고 인정받기 위해 그들의 논리를 따라야만 했다.

*

이제는 그 낡은 구조를 깨부술 때가 되었다. 마블의 최초 여성 히어로 영화 〈캡틴 마블〉의 명대사를 기억하자.

난 너에게 아무것도 증명할 필요가 없어.

(I have nothing to prove to you.)

우리는 남성에게 그 무엇도 증명할 필요가 없다. 남성 권력에 인정받기 위해 나를 개조할 필요도 없다. 남성 중심적인 세계에 편입되기 위해 나를 그 구조에 힘겹게 끼워넣을 필요도 없다. 끊임없이 여성의 존재 가치를 질문하는 세계 속에서, 우리의 존재를 증명하기 위해 노력할 필요도 없다. 여성의 고통에 아무런 관심이 없는 남성에게 페미니즘을 이해시킬 필요도, 그들을 설득할 필요도 없다. 우리는 아무리 외쳐도 듣지 않는 남성들에게 우리의 고통을 설득시키고 이해시키고 증명해야 하는, 그 기울어진 구조 자체를 깨부술 것이다. 인류의 반은 여성이고 우리에게는 세상을 바꿀 힘이 있다. 우리는 지금 여성 연대가 가장 중요해진 시점에 도달해 있다. 우리의 연대가 세상을 바꿀 것이다. 그리고 그 연대의 중심에는 우리의 피가 있다.

생리용품의 자유를!

일회용 생리대가 압도적이었던 생리용품의 시장도 점점 변화해가고 있다. 일회용 생리대만 쓰던 친구들이 생리컵을 사보고, 탐폰을 사용해보고, 생리 팬티를 시도해보고 있다. 시장의 다양성은 언제나 환영이다.

생리대 유해물질 파동 이후 불거져 나온 일회용 생리대에 대한 경각심은 우리 모두를 각성시켰다. 일회용 생리대만이 정답이라고 믿어왔던 우리가 처음으로 의문을 가지게 했다. 국내에 수입조차 되어 있지 않았던 생리컵이라는 것이 무엇인지 많은 사람이 알게 되었다.

국내 최초로 다양한 여성의 생리 경험과 생리용품의 역사를 다룬 다큐멘터리 영화가 등장했고, 한국 내에서 영향력 있는 유튜버들이 생리컵과 탐폰과 생리 팬티를 리뷰하기 시작했다. 일회용 생리대의 부작용이 널리 알려졌다. 이제는 우리가 보다 자유롭게 선택할 수 있는 때이다.

'그어생'의 신화는 이미 깨어진 지 오래이며, 다양한 여성들이 더 다양한 생리용품을 접하고 또 그 이야기를 나누고 있다. 더 많은 사람이 자유롭게 생리를 발화하고 호명하고 있다. 우리는 한 걸음 전진했고 더 나은 세계로 나아가고 있는 중이다.

다양한 생리용품을 시도해보기를 바란다. 다양한 생리용품의 이야기를 접하고 나누길 바란다. 면 생리대를, 탐폰을, 생리컵을, 생리 팬티를 직접 경험해보기를 바란다. 처음에는 낯설고 불편할 수 있지만, 적응하는 데에는 시간이 필요하다. 서두르지 말고 시간을 들여 내 몸과 질을 탐색하고, 나에게 가장 잘 맞는 생리용품이 무엇인지 선택하는 시간을 가지자. 어떤 생리용품이 정답이라고는 말할 수 없다. 각 제품마다의 장단점이 있을 것이고, 개인마다 잘 맞는 생리용품이 있을 것이다. 분명 일회용 생리대가 가장 잘 맞는 사람도 있을 수 있다. 하지만 일회용 생리대밖에 써보지 않은 상태에서는 그것이 최선의 선택이라고 말할 수 없다. 다른 선택지는 모르는 채로 어떻게 최선의 선택을 내렸다고 말할 수 있는가.

그런 의미에서 이 챕터의 마지막 에피소드로는 나와 내 친구들의 좌충우돌 생리용품 탐색기를 나누고 싶다.

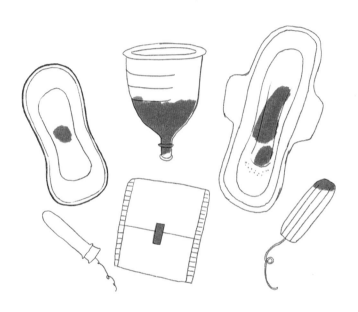

*

A 유기농 생리대는 일반 일회용 생리대보다 화학 물질이 적기 때문에 몸에 덜 해롭지만, 생리혈 흡수력이 낮다. 생리혈이 금방 흡수되지 않으므로 축축한 피가 몸에 닿는 찝찝한 기분이 금방 든다. 그래서 더 자주 생리대를 갈아주어야 한다. 화학 생리대를 하루에 네다섯 번 간다면, 유기농 생리대는 대여섯 번 정도는 갈아줘야 한다. 하지만 생리혈이 화학물질에 닿아 풍기는 악취는 없다. 또한 화학물질이 없기 때문에 피가 갈색빛으로 변색하지 않고 새빨간 정혈로 남아 있다. 처음에는 생리대에 흡수되어 있는 피가 너무 선명한 빨간색이어서 당황했다. 하지만 차츰 알게 되었다. 그간 내가 써왔던 화학 생리대에 묻어 있던 갈색 피는 원래 내 피의 색이 아니었다는 걸. 하지만 '유기농 생리대'라고 홍보한다고 해서 모든 제품이 검증된 것은 아니다. 포장뿐 아니라 생리대에 정말 유기농 면을 사용했는지, 재배 과정에서 농약을 사용하지 않았는지 등을 꼼꼼히 따져봐야 한다.

B 본가에 머물 때는 면 생리대를 쓴다. 화학물질이 없다는 생각에 심적으로 안심이 되어서 쓰는 것 같다. 하지만 경

험상 면 생리대나 순면 느낌의 일회용 생리대나, 생리통은 똑같이 수반되었다. 면 생리대는 매번 빨아 써야 하므로 더 귀찮고 불편하기는 하다. 초기 비용이 일회용 생리대보다 훨씬 비싸기도 하고. 하지만 내 몸에 더 좋을 것이라는 생각으로 불편함을 감수하며 사용한다. 매번 쓰레기를 만드는 일회용 생리대보다는 환경에도 더 좋을 테니 그것만으로도 면 생리대를 사용할 이유는 충분하지 않은가.

C 탐폰과 생리대를 같이 쓰는 편이다. 특히 생리혈 양이 많은 첫날과 둘째 날에는 탐폰만 사용하면 새지 않을까 걱정이 되어 이중으로 생리대까지 함께 착용한다. 생리컵은 넣고 빼는 일이 번거로워서 잘 쓰지 않는 것 같다. 양이 많지 않은 생리 끝물에는 탐폰만 사용한다. 생리 끝물로 갈수록 생리혈이 적어지기 때문에 탐폰을 착용하면 질 내부가 쉽게 건조해지기도 한다. 하지만 생리대보다는 훨씬 움직이기도 편하고, 피부가 쓰라리거나 성기에 피가 닿는 축축한 느낌도 없어서 탐폰을 애용하는 편이다.

D 처음 써봤던 탐폰은 어플리케이터가 없는 것이었다. (유럽에서는 어플리케이터가 없는 탐폰이 보편적이다.) 나중에야 탐

폰 어플리케이터라는 것이 있다는 사실을 알게 되었다. 탐폰을 질 안에 넣는 건 별로 어렵지 않았지만, 내내 질 내부에서 이물감이 느껴졌고 불편했다. 아마 내가 잘못 넣어서 자리를 잘못 잡은 탓이겠지만, 심리적인 이유일 수도 있다. 조금만 오래 탐폰을 착용하고 있으면 탐폰 쇼크가 온 것처럼 머리가 지끈지끈 아프고 구토감이 밀려왔다. 물론 쇼크는 아니었을 것이고, 그냥 심리적인 이유였을 테다. 탐폰을 착용한 채 밤에 잠을 잘 때도 혹시나 자다가 쇼크가 올까봐 무서웠다. 공중화장실에서 한번 탐폰을 갈려다 포장 봉지에 담겨 있던 열댓 개의 탐폰이 우르르 쏟아지는 경험을 한 뒤에는 질려버려서 탐폰을 사용하지 않게 되었다.

 E 생리 팬티를 사용해본 적이 있다. 생리 팬티를 서너 개 구비해두고 팬티를 갈아입을 때마다 찬물에 넣어두었다가 손빨래를 해야 했기 때문에 관리하기가 매우 귀찮았고 시간이 꽤 소요되었다. 비용도 생각보다 비쌌다. 하지만 그냥 팬티만 입고 있다가 벗고 다른 팬티로 갈아입으면 되기 때문에 생리대보다는 확실히 편하긴 했다. 특히 장기간 이동해야 하는 여행 중에 사용하면 아주 편할 것 같았다. 그러나 외부에서 갈아입기는 너무 불편하고 변수가 많아서, 밖에

나갈 때는 생리대와 함께 착용했다. 생리 팬티를 일상적으로 사용할 일은 없을 것 같고, 생리량이 많은 날에 생리대와 함께 착용하거나 밤에 잘 때 사용하면 좋을 것 같다.

F 최근 '입는 오버나이트'라는 컨셉으로 새로운 생리용품이 출시되었다. 마치 기저귀처럼 생긴 오버나이트인데, 밤에 착용하고 자면 피가 절대 새지 않는다고 광고를 했다. 팬티를 입지 않고 그냥 기저귀처럼 생긴 오버나이트만 차고 바지를 입고 잤는데, 아침에 일어나니 너무 개운하고 피도 하나도 새지 않아 만족스러웠다. 그대로 벗어서 버리면 되니 편리하기까지 했다. 하지만 가격이 너무 비싸서 이걸 쓸 바엔 그냥 기저귀를 사다 쓰는 게 낫겠다 싶었다.

G 생리컵을 사용한 뒤로 생리통이 사라졌다. 일회용 생리대를 쓸 때에는 굴(핏덩어리) 낳는 느낌, 화학 성분에 대한 걱정, 성기 쓸림과 마찰감, 냄새 등이 싫어서 불만이 많았는데, 생리컵을 쓴 후에는 그런 불만들이 싹 사라졌다. 생리를 할 때 포궁 밑이 빠지는 느낌도 생리컵을 쓰고 나서는 사라졌다. 처음 생리컵을 사용했을 때에는 생리 중에 마찰이 없는 느낌이 너무 신기하고 기분이 좋아서 팬티만 입

고 보송한 엉덩이를 계속 만져보기도 했다. 첫날에는 생리혈과 질 분비물이 많아서 삽입이 수월하지만, 생리 끝물이 될수록 건조해져서 삽입이 힘들어진다. 그래서 젤을 사용해 삽입하는 사람들도 있다고 들었다. 처음 삽입할 때 무서움은 없었지만 앉았다 일어나기를 반복하며 질 안에 자리를 잘 잡도록 생리컵 위치를 맞추는 데에 시간이 조금 걸렸다.

H 생리컵을 처음 삽입했을 때 머리가 어지럽고 구토감이 밀려오는 경험을 했다. 깜짝 놀라서 생리컵을 다시 빼낸 뒤 인터넷에 생리컵 부작용을 검색해보았는데, 나와 같은 경험을 한 여성들이 생각보다 많았다. 심리적인 이유가 클 테지만, 생리컵을 다시 집어넣을 용기는 나지 않았다. 인터넷에서 생리컵 역시 쇼크를 유발할 수 있다는 기사도 발견했다. 특히 생리컵을 사용한 후 포궁 경부에 상처가 나서 피가 멈추지 않고 철철 흘러 응급실에 실려 갔다는 후기를 접한 뒤에는, 다시 생리컵을 사용하기가 겁이 났다. 결국 다시 생리대로 돌아가고 말았다.

I 생리컵을 써보고 싶다는 생각은 늘 막연하게 가지고 있었지만, 직접 주문하기까지는 꽤 오랜 시간이 걸렸다. 고민

만 하고 있다 마침 여성의 날에 생리컵을 특가로 세일하는 브랜드를 발견했고, 친구와 함께 눈 딱 감고 주문했다. 처음에는 잘 몰라서 생리혈이 많지 않은 끝물에 생리컵 삽입을 시도했는데, 너무 뻑뻑해서 잘 들어가지 않아 당황스러웠다. 다음 생리 주기 때 다시 C폴드와 펀치다운 폴드를 번갈아 시도하며 삽입을 해보려고 했지만 절대 들어가지 않았다. 그러던 중 인터넷에서 세븐 폴드로 넣으면 잘 들어간다는 정보를 접하여 시도했더니, 지금껏 고생했던 바와 다르게 쑥 들어갔다. 하지만 무언가가 몸에 들어가 있는 듯한 이물감과 불편함은 쉬이 사라지지 않았다. 심리적인 이유인지, 제대로 자리를 잡지 못한 것인지는 알 수 없었지만 얼마 지나지 않아 겁이 나서 다시 생리컵을 빼내려고 했다. 하지만 아무리 생리컵 끝에 달린 꼬리를 잡아당겨도 빠지지 않았다. 생리컵은 잡히지 않고 질 안쪽 살만 꼬집게 되어서 눈물이 찔끔 나도록 아팠다. 다시 인터넷에 검색해서 생리컵을 뺄 때는 질근육에 힘을 줘서 컵을 내보내며 동시에 손으로 잡아당겨야 한다는 정보를 접했고, 그렇게 안전하게 생리컵을 빼냈다. 잠깐이었는데도 아주 새빨간 정혈이 컵 안에 약간 고여있었다. 컵 안에서 찰랑이는 빨간 피를 보자 기분이 이상했다. 뭔가 뿌듯한 것 같기도 했다. 생난리를 치며 다리와 손이 온통 피칠갑이 된 후에야 다시 깨끗이 씻고 생리대를 착용했다. 화장실에 피 비린내가 진동을 했다. 다음 생리 주기 때 다시 도전해보기로 했다.

J 생리컵을 사용한 후 가장 신기했던 점은, 생리 중 소변을 볼 때 피가 섞인 피오줌이 나오지 않는다는 점이었다. 일회용 생리대를 사용할 때는 생리 중 소변에 생리혈이 섞여 나오는 것이 너무도 당연해 의문을 가져본 적이 없었는데, 생리컵을 쓰고 나서야 소변이 나오는 구멍과 생리혈이 나오는 구멍이 다르다는 사실을 다시금 명확하게 확인받은 기분이었다. 내 몸에 맞는 생리컵 사이즈를 선택하기 위해서는 질 안에 손가락을 넣어 나의 질 입구에서부터 포궁 경부까지의 길이를 재봐야 하고, 또 날에 따라 생리혈 양이 얼마나 되는지도 알아야 한다. 생리컵을 사용한다는 것은 나의 질과 포궁에 좀 더 관심을 가지고 깊이 이해할 수 있는 경험이었다. 또한 생리컵에 담겨있는 새빨간 피를 눈으로 직접 확인하고 버리는 작업은 나로 하여금 원초적인 질문들을 던지게 했다. 여자는 왜 매달 피를 흘려야 하는지, 인간은 오로지 번식 목적으로만 살아가는 것인지 등등. 생리컵 덕분에 나의 몸과 삶에 대해 숙고해볼 수 있는 기회를 얻은 것 같다.

생리
해방

제 4 장

네, 저 생리하는데요?

My Body, My Choice
생리 안 할 권리

나의 몸, 나의 선택. 이보다 더 상식적이고 당연한 말이 있을까. 그런데 이 말을 못 알아먹는 사람이 이 세상에 생각보다 많다. 여성의 포궁을 모두의 공동 포궁인 것처럼 착각하여 가임기 지도란 것을 만드는 한국 정부라든가, 여성의 임신 중단을 국가적 재난 상황으로 과장하여 불법으로 지정했던 한국 법이라든가, 여성의 숏컷과 민낯과 노브라를 온 국민이 함께 걱정하며 탈코르셋을 심각한 사회적 문제로 취급하는 한국 사회라든가 등 나열하면 끝도 없다.

여성에게는 안전하고 건강하게 생리할 권리가 있고, 원한다면 생리 안 할 권리도 있다. 월경을 중단하고 싶다는 생각이 들었다면 산부인과에 가서 전문의와 상담해보고 정확한 정보를 찾아보자. 무작정 혼자서 결정을 내릴 수 있는 문제는 아니다. 전문의와의 상담을 통해 여러가지 방법을 시도해보며 내 몸을 알아가는 과정이 필요하다. 결정은 그 이후에 해도 늦지 않다. 월경을 중단하는 가장 흔한 방법은

IUD(미레나 같은 자궁내피임기구)나 임플라논(피하이식기구) 같은
피임 시술이다. 피임 기구를 체내에 삽입하는 방식 말고도
호르몬제를 이용해 생리 주기를 건너뛰는 방법도 있다. 호
르몬제 복용 중 생리를 하기 위해 한 달의 마지막 4일간 위
약을 먹는 플라시보 기간을 건너뛰면 생리 주기를 건너뛸
수 있다. 많은 여성이 여행 계획 때문에 생리를 미루고 싶을
때 이런 방법을 자주 사용한다. 그동안 시도해본 사람은 많
이 없었겠지만, 월경 중단을 위해 시도해볼 수도 있는 방법
이기도 하다. 산부인과 선생님께 여쭤보니 생리를 아예 안
하게 되는 것은 아니고, 하루 이틀 정도 잠깐 피가 비치는
정도로 양이 점차 줄어들 것이라고 하셨다. 하지만 사람마
다 몸의 특성이 다르기 때문에, 꼭 전문의와 상담해보기를
추천한다.

유튜브 채널 〈닷페이스〉에 업로드된 영상 「생리, 쉽게 끊
을 수 있을 줄 알았니?」에 출연한 산부인과 전문의가 해주
신 말씀이 기억에 많이 남는다.

산부인과 의사들은 생리 패턴이라든지 생리량도 하나의
생체 징후로 본다. 결국엔 생리도 혈압이나 맥박, 체온, 호
흡수처럼 본인 몸이 건강한지를 봐주는 지표로서 굉장히 중

요한 생체 징후다. 내 생리 패턴을 파악하면서 내 건강 상태를 스스로 알아차리는 게 여성 본인에게도, 여성과 의료인이 소통하는 데에도 굉장히 중요한 요인이라고 생각한다. 그런 과정을 통해서 내가 생리를 중단할지, 피임약이나 진통제로 조절을 할지, 생활 습관을 개선할지를 본인이 결정하고 찾아가는 과정이 필요하다.

　월경 중단을 선택한다고 해서 갑자기 하루 만에 생리가 뚝 멎는 것은 아니다. 어떤 방법을 선택하든 장기적으로 관찰하며 생리량을 조금씩 줄여나가야 하고, 그 과정에서 부정출혈이나 예상치 못한 부작용이 있을 수도 있다. 나 역시 월경 중단이라는 선택지를 탐험해보려고 하지만, 그것이 결국 내가 원하고 기대했던 경험과는 다른 것이었다면 다시 월경을 하기로 선택할 수도 있다. 호르몬제 역시 지속적으로 투여했을 때 내가 원했던 것과는 다른 결과를 가져온다면 중단할 수도 있다. 나는 내 호르몬을 어떤 방식으로 다룰 때 나의 몸이 가장 편안할 수 있는지 다양한 수단을 활용하여 탐색하고자 한다. 동시에 규칙적인 생활 습관을 통해 나를 불편하게 하는 증후들을 완화시키고자 한다. 결국 중요한 것은, 내가 얼마만큼 자유롭게 선택할 수 있는 권리를 가지고 있는가이다. 자유로운 선택이란 아무거나 무작정 선택하는 것이 아니라, 충분한 자료와 정보를 토대로, 내 몸에 대한 이해를 토대로 심사숙고 후에 내리는 결정이다. 자연스러운 것만이 좋은 것이고 인공적인 것은 피해야 한다는 오해 때문에, 혹은 월경 중단을 향한 사회적 편견과 정보 부족 때문에 다양한 삶의 방식을 탐색해볼 기회조차 놓치게 된다면, 그건 자유로운 선택이 아니다.

한국에서의 여성의 삶은 여러 방면에서 너무나 편협한 한 가지 방식만으로 좁혀져 있다. 길고 '여성스러운' 머리에 화장으로 치장한 날씬한 여성, 예쁘고 귀엽고 사근사근하고 애교 많은 여성, 적당한 나이에 결혼해서 일을 좀 하다가 출산한 후에는 가정주부로 전향하는 여성, 집에서 아이를 돌보고 남편에게 밥을 차려주고 시어머니를 깍듯이 모시는 여성, 혹은 육아와 살림과 일을 병행하는 슈퍼맘, 아무런 질문 없이 월경하며 아무런 의심 없이 생리대만 사용해온 여성. 그들의 삶이 가치 없다는 게 아니다. 하지만 여성이 선택할 수 있는 삶이 오로지 그 한 가지 길밖에 없다면 그건 큰 문제가 있는 사회다. 나는 자신만의 독특한 삶을 꾸려가는 좀 더 다양한 여성들이 우리 사회에서 주목받기를 원한다. 짧은 머리에 화장하지 않은 여성, 뚱뚱하거나 비쩍 마르거나 '예쁨'이라는 사회적 기준에 부합하지 않는 여성, 자신을 치장하는 일에 별 관심이 없는 여성, 자기주장이 뚜렷하고 결단력 있는 여성, 명예욕과 권력욕을 가진 여성, 결혼하지 않고 출산하지 않기로 선택한 여성, 자신의 커리어를 우선순위에 두고 직업을 포기하지 않는 여성, 생리대에 의문을 품고 대안 생리용품을 탐험해나가는 여성, 월경 중단이라는 선택지를 시도해보는 여성 등 더 다양한 여성들이 다양한 삶의 방식을 개척해나가는 사회를 꿈꾼다. 여성이 자신이 원하는 삶을 자유롭게 선택할 수 있는 사회적 기반이 갖춰지기를 꿈꾼다. 그러한 사회에서 우리는 초경이든 완경이든, 월경이든 월경 중단이든, 여성의 어떤 선택이든 진심을 다해 존중하고 축하해줄 수 있지 않을까.

따라서 나는 사회에서 요구하는 여성의 삶과는 다른 삶을 선택해보고 싶다. 그중 하나는 월경 중단이다. 나는 최선의 선택을 내리기 위해 내 몸에 가장 잘 맞는 생리용품을 시간과 돈과 노력을 들여 찾아낼 것이고, 나에게 어떤 피임 방법이 가장 알맞는지 알아보기 위해 여러가지 방법을 실험해볼 것이며, 생리를 할 것인지 말 것인지 선택할 수 있을 정도로 내 몸을 깊이 이해할 것이다. 어떨 때 생리량이 많고 PMS와 생리통이 심하고 내 포궁에 무리가 가고 질염이 생기는지,

나의 질과 포궁에 대해 더 깊이 공부할 것이다. 사회가 가르쳐주지 않는다면 독학이라도 해야만 한다. 그것이 결국 내 무기가 될 것이다.

사회는 선택의 자유를 보장해야 하며, 인간의 기본권인 재생산권을 보장해야 한다. 여성에게는 건강하고 합법적으로 월경과 월경 중단, 임신과 임신 중단, 출산과 비출산을 선택할 권리가 있다. '나의 몸, 나의 선택'이라는 너무도 당연하고 상식적인 구호가 더는 필요 없어지는 사회를 꿈꾼다. 그리고 그 사회가 조금씩 가까워지고 있음을 느낀다.

생리 긍정

생리에 대한 긍정적인 기억이 있나요?

인터뷰를 해준 여성들에게 물었을 때 대답은 죄다 한결같았다.

없어요.
긍정적일 수만 있다면 나도 그러고 싶어요.

그 누구도 생리 자체에 관한 긍정적인 기억이 없다는 점이 나를 가슴 아프게 했다. 나 역시 마찬가지였다. 생리는 언제나 귀찮고 불편한 것, 나를 힘들고 괴롭게 하는 것, 사회 진출에 방해가 되는 것, 내 발목을 붙잡고 나를 구속하는 것이었다. 생리로부터 자유로워지면 이전과는 전혀 다른 새로운 인생을 시작할 수 있을 것만 같았다. 나로서는 일주일 동안 피 흘리는 고통보다 생리 전 PMS의 고통이 너무 컸기 때문에, 한달의 반을 PMS로 낭비하지 않게 된다면 대체 어떤 천국 같은 삶이 펼쳐질지 궁금했다. 2주 동안 우울감에 지배당하지 않고 여드름으로 고통받지 않고 식욕과 성욕이 날뛰지 않고 허리가 통째로 마비되는 듯한 생리통에 괴로워하지 않는 삶이란 도대체 어떤 것인지.

하지만 호르몬제를 복용하며 상당 부분 완화된 PMS는 나를 고통에서 해방시켜줌과 동시에, 왠지 모르게 나의 일부를 잃어버린 듯한 기분을 느끼게 했다. 그동안 PMS로 괴로워할 때는 오로지 고통에서 벗어날 궁리만 해왔는데, 사실은 그 시간이 내 정체성의 일부가 되어왔음을 알게 된 것이다. 또한 그 시간이 나에게 깊고 방대한 영향을 미쳐왔으며, 괴로움뿐 아니라 긍정적인 기억을 선물해주었음을 새로이 깨닫게 되었다.

생리를 임신의 실패로 여길 때는 내가 왜 생리를 해야 하는지 스스로를 설득할 수 없어서 월경 중단을 바랐지만, 생리를 몸의 운동 중 하나로, 자연스러운 순환이자 몸의 주기로, 나의 정체성의 일부로 받아들였을 때 나는 그동안 고민해볼 생각조차 못했던 생리의 긍정적인 면들을 자연히 이해하게 되었다.

우선 생리는 여성이 가장 쉽게 알아차릴 수 있는 건강의 지표가 되어준다. 생리는 내 몸이 일러주는 가장 가까운 건강 신호다. 불규칙한 수면, 건강하지 못한 식이 습관, 운동 부족, 스트레스 등으로 몸이 쇠약해지면 바로 생리에서 티가 난다. 생리 주기가 불안정해지거나, 생리혈의 색이 달라지거나, 생리량이 변화하거나, PMS와 생리통이 평소보다 심해지거나....... 어떠한 방식으로든 포궁은 나의 건강에 대한 힌트를 준다. 재치 있는 친구의 말에 따르면, 생리가 시작되면 그 달의 식습관과 생활습관을 포궁으로부터 심사받는 기분이라고 한다. 절묘한 표현이다. 생리한다는 것은 달마다 건강검진을 받는 일과 같다. 포궁은 매달 찾아오는 방문 주치의처럼 나의 건강 상태를 꼬박꼬박 알려준다.

생리를 통해 나의 몸을 다달이 점검하고 재정비할 기회를 얻는다는 것은 참 감사한 일이다. 생리가 생활습관과 몸의 변화에 바로바로 민감하게 반응하는 것은 일상생활 속에서 귀찮고 불편한 일이 될 수도 있지만, 어쩌면 가장 먼저 나서서 내게 신호를 주고 내 몸을 지키기 위한 최소한의 방어막인지도 모른다. 바쁜 현대 사회 속 많은 사람들은 정기적으로 꾸준히 검진을 받으러 가지 못하고 꾹 참고 견디다, 결국 손쓸 수 없이 악화된 건강 상태를 맞이하곤 한다. 그런 사회에서 정기적으로 내 건강 상태를 스스로 확인할 수 있는 지표를 가진다는 것은 월경하는 여성만이 누릴 수 있는 특권이다.

이러한 맥락에서 생리는 나의 몸을 좀 더 심도 있게 이해할 수 있는 경험이기도 하다. 매달마다 피가 흐르는 곳을 여자들이 이리도 잘 모르고 있다는 것은 사실 굉장히 이상한 일이다. 잘 들여다보기 힘든 위치에 있어서인지도 모른다. 혹은 어릴 때부터 여자는 정숙하고 순수해야 한다는 여성혐오에 의식하지도 못한 채 가스라이팅 당해왔거나. 이런 사회에서 생리를 제대로 이해하겠다고 마음을 먹는다면, 그건 나의 몸을 제대로 들여다보고 이해하겠다는 말과 같은 의미다. 나의 질과 포궁과 가슴과 몸의 주기에 대해 공부하겠다는 의미다. 생리는 달마다 몸이 나에게 걸어오는 말이고 우리는 거기에 응답해야 할 의무가 있다.

내 몸과 가장 긴밀하게 소통해야 할 사람은 나다. 나는 애정을 가지고 나의 몸을 관찰하고 몸의 변화를 기억하려 노력한다. 내 몸을 배운다는 것은 곧 나를 배운다는 것이고, 내 몸을 사랑하는 법을 배운다는 것이다. 또한 내 몸의 일을 주체적으로 선택할 수 있는 능력을 기른다는 것이다.

그리고 생리는 나의 몸과 깊고 세밀하게 관계 맺을 수 있는 가장 대표적인 수단이다.

생리는 나라는 한 인간이 거대한 자연 속에서 함께 호흡하며 공존하고 있는 생명체임을 끊임없이 상기시켜주는 사건이기도 하다. 현대 사회 속에서 인간은 너무나 당연하게 자연과 인간을 분리시켜 받아들인다. 하지만 다달이 피를 흘리고 지속적인 순환 주기를 겪으며, 여성은 우리가 자연과 동떨어진 별개의 인간이 아니라 자연 속에 존재하는 유기체적 생물임을 지속적으로 확인받게 된다. 생리는 나의 몸이 조금도 쉬지 않고 치열하게 운동하며 존재하고 있음을 증명하는 행위다. 변하지 않고 가만히 있는 것처럼 보이는 식물이 사실은 가장 치열하게 운동하며 존재하고 있는 것처럼, 변하지 않는 것 같은 나의 몸도 내가 모르는 매 순간 열심히 운동하고 있다. 계절이 바뀌듯 몸의 주기 역시 돌아오고 그때마다 나는 아주 독특한 방식으로 자연과 연결된 나를 느낀다. 주기적으로 '자연으로서의 나'를 인식하는 일은 매우 낯설고 특별한 경험이다.

자연과 인간의 이분법을 무력화하는 생리는 몸과 정신을

이분법적으로 나누는 독과 같은 사유도 무너뜨린다. 평소에 나는 조심하지 않으면 쉽게 육체와 영혼의 이분법에 빠져버리곤 한다. 우리 사회에 너무도 만연한 사고방식이기 때문이다. 예컨대 영혼의 차원은 고귀하고 아름답지만, 몸의 영역은 열등하고 천박한 것으로 취급하는 사고방식 말이다. 감정이 배제된 섹스가 가능한지 논하는 방식 말이다. 너의 몸은 사랑하지만 영혼은 사랑하지 않는다고 말하는 방식 말이다. 몸과 정신을 별개의 것으로 분리하는 사고방식은 매우 위험하다. 왜냐하면 성욕이나 식욕 등 몸의 자연스러운 욕구를 열등한 것으로 취급하며 억누르게 된다면, 정신 역시 건강함과는 거리가 멀어질 것이기 때문이다. 또한 몸을 정신보다 열등한 차원에 두는 사고는 오랜 세월 여성을 남성보다 열등한 존재로 폄하하는 주요한 근거 중 하나였다. 여성은 감정적이고 육체에 종속된 존재인 반면, 남성은 이성적이며 주도권을 쥐고 몸을 통제할 수 있는 우월한 존재였다. 물론 근거가 전혀 없는 남성 중심적 세계관이다. 세계 어딜 가나 성범죄자의 최소 80퍼센트 이상이 남자인데 대체 누가 이성적이고 우월한 존재라는 말인가. 여성성을 병리적이고 비정상적이고 열등한 것으로 낙인찍기 전에 우리는 남성성에 대해 더 고민해봐야 한다. 왜 주로 남자들이 범죄를 저지르고 폭력적이고 싸움을 좋아하고 서열 나누기를 좋아하고 공공장소에서 시끄럽게 민폐를 끼치고 담배와 술에 의존하고 분노와 욕망을 통제할 줄 모르고 소수자를 존중할 줄 모르고 언어 능력과 의사소통 능력이 떨어지고 감정을 표현할 줄 모르고 자기 절제력이 떨어질까? 우린 이런 질문들은 별로 던지지 않는다. 단지 개인의 차이일 뿐이라고 생각한다. 여성 전체를 일반화해서 낙인찍던 태도와는 너무나도 다르게. 여성성과 남성성을 애써 분리하여 한쪽을 열등한 것으로 취급하는 방식은 양성 모두에게 족쇄가 될 뿐이다. 마찬가지로 몸과 정신 중 무엇이 우월하고 무엇이 먼저인지를 묻는 질문은 이제 너무도 낡았고 큰 의미가 없다.

하지만 생리와 관련된 일련의 경험들은 몸과 정신의 이분법을 깨부순다. 생리는 몸과 정신을 도저히 분리하여 생각할 수 없게끔 하는 경험이기 때문이다. 한때 나는 포궁이 내 몸의 주인이고 나는 그저 호르몬의 노예일 뿐이라고 여긴 적도 있었다. 그러나 결국 나의 포궁도 나의 것이고 나의 호르몬도 나의 것이다. 나의 몸 역시 나의 것. 그 모든 구성물이 모여 나를 이룬다. 나는 몸이나 정신 어느 한쪽에만 귀속하는 인간이 아니다. 몸과 정신은 유기체적으로 연결되어 있으며 손쉽게 분리될 수 없는 관계다. 어느 한쪽이 우월하거나 열등한 관계도 아니다. 이 세계에 존재하는 모든 이분법은 해롭다. 그것은 남성의 철학이며 남성의 규범이다. 여성을 열등한 몸의 영역으로 가두고 침묵시켜왔던 혐오의 역사다. 이 세상의 어떤 것도 딱 두 가지 영역으로 깔끔하게 나누어질 수 없다. 이성과 감정으로, 여성성과 남성성으로, 자연과 문명으로 세계를 구획하는 방식은 우리 모두를 옥죌 뿐 누구도 해방시키지 못한다.

생리 전 PMS 기간에 나의 감정이 무자비하게 날뛸 때, 나는 종종 스스로를 의심했었다. 이 모든 극단적인 감정 변화가 단지 호르몬 때문인가? 호르몬이 가져온 감정의 변화라면 이것을 진짜 나의 감정이라고 믿을 수 있을까? 몸이 정신을 지배한 것 아닌가? 호르몬이 나를 속이고 있는 것 아닌가? 나는 나의 감정조차도 믿을 수 없었다.

하지만 사실 이러한 모든 질문들은 여성이라는 다른 존재를 이해하지 못한 남성들이 여성을 그 자체로 존중하지 못하고 타자화하며 오랫동안 주입해왔던 질문들이다. 애초에 감정은 몸의 영역인가, 정신의 영역인가? 그렇다면 호르몬은 어디에 속하는가? 그 둘을 칼같이 나눌 수 있는가? 허상에 지나지 않는 질문들에 여성은 오래도록 매여 왔다. 여성

은 남성의 규칙 속에서 매 순간 자신의 정체성을 질문해야
만 했다.

왜 그동안 남자들은 모든 것에 너무도 자신만만할 수 있
었던 반면, 여자들은 끝없이 스스로를 의심하고 검열하고
증명해야만 했을까. 왜 내가 겪은 생생한 고통을 말 못한 채
없는 일인 것처럼 나의 세상에서 지워야만 했을까. 도대체
왜, 생리를 생리라고 말하지 못하고 보지를 보지라고 말하
지 못하고 성폭력을 성폭력이라고 말하지 못하고 성차별을
성차별이라고 말하지 못했을까. 여자들이 지금껏 빼앗겨
온 언어가 비단 '생리'뿐일까? 이미 언어와 규범이 남성의
것이었으므로 여성은 언제나 이 세계에 편입되기 위해 스스
로를 증명해야만 했다. 피해자임을 증명해야 했고, 스스로
판단할 능력이 있는 이성적인 인간임을 증명해야 했고, 글
을 쓸 수 있는 인간임을 증명해야 했고, 운전할 수 있는 인
간임을 증명해야 했고, 투표하고 정치에 참여할 수 있는 인
간임을 증명해야 했고, 남자들처럼 성욕이 있지만 동시에
거절할 권리가 있는 인간임을 증명해야 했고, 사회적으로
일할 수 있고 합당한 보수를 받아야 하는 인간임을 증명해
야 했고, 단지 세포에 불과한 태아보다 나의 삶이 몇억 배는
더 중요하고 소중하다는 사실을, 나의 몸은 나의 선택이라

는 사실을 끊임없이 끊임없이 증명해야만 했다. 여성은 언제나 남성이 만들어 둔 세상의 모든 규칙과 기준에 자신을 끼워 맞추기 위해 노력해야 했으며, 그들의 논리를 들어 그들을 이해시키고 설득시켜야만 했다. 이런 사회 속에서 여성은 자신의 감정조차 온전히 신뢰할 수 없게 되었다. 나의 감정이 호르몬 때문인지, 생리 때문인지, 갱년기 때문인지, 그렇다면 나는 충분히 이성적이지 못하고 감정적인 부족한 인간이 아닌지, 내가 예민한 것이 아닌지, 계속해서 의심하며 자신에게 질문을 던져야 했다.

그러나 어느 순간부터 나는 급변하는 감정이 호르몬 탓인지 아닌지 애써 구별하는 일을 그만두었다. 의미가 없다고 느껴졌기 때문이다. 생리 때문이든 아니든, 호르몬 때문이든 아니든, 내가 겪고 있는 감정은 그 자체로 나만의 진실이다. 몸과 정신의 이분법을 버리면 나라는 존재를 질문할 이유도 없어진다. 내가 느끼고 경험하고 보고 생각하는 모든 것들이 결국 나라는 존재의 일부이기 때문이다. 나를 해체하고 구획할 필요가 없다. 몸이 나에게 어떠한 신호를 주면 그 몸의 변화에 응답하며, 온몸을 순환한 따뜻한 피가 질에 이르러 붉게 터져나올 때 그 피를 내 손과 질과 포궁으로 느끼며, 그렇게 나는 나와 긴밀하게 소통했다.

그로 인해 나는 다양하고 풍부한 감정 변화 역시 긍정하게 되었다. 생리를 시작하기 2주 전부터 나는 삼각함수 사인곡선 그래프처럼 요동치는 감정 변화를 겪는다. 내가 바란 적 없는 감정의 소용돌이에 무력하게 내던져지는 기분은 썩 좋지 않다. 우울의 밑바닥까지 처박혔다가 그다음 날 행복의 정수리로 솟구쳐지는 급격한 감정의 변화는 나 자신을 끝없이 의심하게만 만들 뿐이었다. 생리로 인해 나는 한 달에도 몇 번씩 꾸준히 온탕과 냉탕을 오가야 했다. 나는 정착하고 싶었고, 안정되고 싶었고, 그리하여 편안해지고 싶었다. 하지만 생리를 긍정하기 시작하며 나의 모든 감정 역시 진실하게 받아들이고 긍정하기로 했을 때, 나는 놀라운 변화를 체험할 수 있었다. 우울이든 기쁨이든, 불행이든 행복이든 나의 모든 감정을 직시하고 받아들이기 시작한 것이다. 생리가 아니었다면 그토록 캄캄한 우울함과 새로 태어난 것만 같은 찬란한 기쁨을 체험할 수 있었을까? 그토록 다양하고 풍부한 감정의 세계를 헤엄칠 수 있었을까? 빈곤한 무감정의 세계에서 마비되어 굳어질 바에는, 나는 차라리 몇 번이고 죽고 몇 번이고 다시 태어나며 감정의 폭풍 속에 나를 내맡기기로 했다. 모든 감정은 내게 소중하고 의미

있는 경험이다. 나는 더 이상 그 어떤 감정도 의심하거나 외면하거나 억누르지 않고, 내가 느끼고 체험하는 대로 받아들이기로 했다. 나의 감정을 깊숙이 들여다보고 파헤쳐야만 내가 왜 아픈지, 왜 기쁜지, 왜 두려운지 이해할 수 있다.

이제 나는 삶의 변화 자체를 긍정하고 나의 유동적인 정체성을 긍정할 수 있는 사람이 되었다. 한때 나는 정체성이란 확고한 자아의 기반을 가진 고정불변한 것이라고 믿었다. 사람들을 만날 때마다 나조차 놀랄 정도로 휙휙 바뀌는 나의 모습이 이상했고, 내 안에 존재하는 수많은 나의 모습에 혼란스러웠다. 진짜 나는 누구지? 거짓된 내가 진실된 나를 가리고 있는 건 아닐까? 이런 질문들을 하루에도 몇 번씩 던졌다. 혼자 있을 때의 나와 친구를 만날 때의 나, 글을 쓸 때의 나, 가족과 있을 때의 나는 전혀 연결고리가 없는 남남 같았다. 나는 오랜 기간 '진정한 나의 정체성'을 찾아 헤매었지만, 사실 그런 건 존재하지 않는다는 사실을 아주 나중에야 깨닫게 되었다. 흐르는 시간을 누구도 붙잡을 수 없고 계절은 빠르게 변화하며 머리카락을 자르고 잘라도 다시 자라듯, 이 세상의 모든 것은 변하도록 설정되어 있다. 영원히 변하지 않는 것에 집착하는 인간 역시 그러한 자연의 일부분일 뿐이다. 나의 정체성 역시 마찬가지다. 생리 기간을 지날 때마다 양극단을 오가며 나조차 이해할 수 없는 또 다른 내가 매 순간 튀어나왔지만, 그래서 진짜 내가 누군지, 나라는 인간은 도대체 어떤 인간인지 오래도록 혼란스러웠지만, 결국 그 모든 순간 역시 나였다. 나의 몸도, 나의 감정도, 나의 정체성도, 나의 삶도, 영원불변하는 것은 이 세상에 있을 수 없음을, 따라서 모든 변화를 긍정하는 수밖에는 없다는 것을, 나는 여러 번의 생리 기간을 거치며 이내 깨달았다. PMS의 기간을 지날 때마다 나는 몇 번이고 죽었다 다시 태어나야 했고 그때마다 새로운 나를 대면해야만 했지만, 동굴 속에서의 기억만큼은 서늘하도록 선명했다. 전생의 기억을 낱낱이 품은 채 나는 몇 번이고 되살아났다. 허물을 계속해서 벗어야만 살아남을 수 있는 뱀처럼, 어쩌면 우리는 끝없이 변화해야만 살아갈 수 있는 존재들이다. 나는 이윽고 나의 정체성이란 이미 존재하는 어떠한 것을 찾아야 하는 차원이 아니라, 마치 예술가처럼 창조해나가야 하는 차원임을 깨닫게 되었다. 나의 정체성은 언제든 변화할 수 있으며 그 변화 자체가 나의 정체성이다. 생리 경험을 통해 나는 유동적인 정체성을 깨우쳤고 받아들였으며 더는 안정적인 정착의 꿈이나 자기동일성이나 고정불변하는 정체성이라는 환상에 사로잡히지 않을 수 있었다. 이렇게 언제나 변화하며 표류하는 것이 나에게 주어진 운명임을 인정하고 끌어안았다. 그때 비로소 나는 순간순간의 감정과 경험을 온전히 긍정할 수 있는 강한 인간으로 재탄생했다.

이처럼 생리는 나로 하여금 스스로에게 계속하여 철학적인 질문을 던지게 한다. 사실 생리 그 자체가 매우 철학적인 경험이기도 하다. 나는 왜 생리를 하는가? 여기서부터 시작된 질문은 인간의 존재 이유를 묻게 한다. 인간은 오로지 번식을 위해 태어났는가? 인간의 최종 목표는 번식인가? 번식이 인간의 목표라면 우리를 다른 생물과 다르게 구별하는 특징은 무엇인가? 번식하지 않는 여성은 생리를 해야만 하는가? 번식하지 않는 인간은 어떻게 살아가야 하는가? 무분별한 번식은 과연 정말 인류에게 유익한가? 정답을 찾는 것보다 중요한 것은 끊임없이 질문하는 태도다. 그런 의미에서 생리는 여성을 계속하여 철학하게 하는 경험이다.

생리는 또한 풍부한 예술적 영감의 원천이자 창조적인 축복의 기간이다. 생리를 통과하며 경험하는 극단적인 감정과 몸의 변화는 새롭고 기발한 상상력을 자극한다. 극단의 다른 이름은 풍부함이다. 하루하루가 같은 단조로운 일상에서 예술이 만들어지기는 어렵다. 오히려 예술은 삶의 가장 밑바닥에서, 가장 외롭고 괴로운 구덩이에 내몰렸을 때 탄생한다. 그래서 나는 가끔 스스로를 동굴 속으로 밀어 넣기도 한다. 어둠 속으로 들어갔다 제 발로 나온 인간은 강하다. 그리고 그 삶 자체로 이야기가 된다. 여성은 그저 자신의 삶을 낱낱이 기록하는 것만으로도 훌륭한 예술가가 될 수도 있다. 어쩌면 여성은 남성보다 예술가가 되기에 적합하다고 일반화할 수도 있다. 지금껏 남자들이 모든 여성을 예민하고 감정적이라고 일반화시켰던 것과 마찬가지로 말이다. 예민함의 다른 이름은 섬세함이다. 섬세하고 감정적인 인간은 예술을 하기에 더 적합하다. 난 그런 인간이 되고 싶다. 생리 기간엔 나의 예민한 감수성이 더 날카로워지고, 세계를 더 세밀하게 관찰하고 민감하게 받아들이게 된다. 남이 보지 못하는 것들을 보고, 느끼지 못하는 것들을 느낀다. 우울의 바다에서 나는 끝없이 쏟아져나오는 문장들을 갈무리하기 바쁘다. 돌이켜보면 나의 가장 멋진 문장들은 대부분 생리 기간 때 쓰였다.

적당한 욕망은 삶에 활력을 준다. 생리 기간에 솟아오르는 성욕과 식욕을 비롯한 갖가지 몸의 욕망은 우리의 삶에

넘치는 활력과 정력을 불어넣는다. 생리는 무료하고 단조로운 일상에 주기적으로 새로움과 다채로움을 불어넣어주는 경험이다. 나는 생리를 긍정함으로써 나의 욕망 역시 긍정하게 되었다. 몸의 철학이 주목받는 현대 사회에서 나의 몸을 이해하고 긍정하는 일은 매우 중요하다. 앞서 여러 번 말했지만, 나의 몸과 욕망은 풍요로운 예술적 텍스트의 원천이며 나의 삶을 속속들이 살아갈 수 있도록 한다.

생리하는 인간은 기본적으로 '나'에 관해 생각할 시간이 많아진다. 나의 감정 변화, 몸의 변화, 관계의 변화, 습관의 변화, 주위 환경으로부터 받는 영향에 대해 민감하게 반응하게 한다. 생리 경험은 나를 배울 수 있는 최적의 기회다. 생리로 인해 받는 스트레스와 고통을 무시한 채 억지로 긍정하라는 이야기가 아니다. 우울하고 고통스럽고 귀찮고 불편한 감정을 억누르고 삭제할 수는 없다. 하지만 그 모든 감정이 우리의 삶을 풍요롭고 다채롭게 만들며, 나를 더욱더 인간답게 만들어준다는 것만 알고 있으면 된다. 그리고 어둠이 걷힌 뒤에는 반드시 빛이 찾아올 것이라는 믿음을 잃지 않으면 된다. 우리는 늘 변화하고 있고 언제나 진화한다고는 말할 수 없지만, 나의 변화의 방향은 내가 정할 수 있다고 믿는다. 회피하지 말고 모든 순간을 속속들이 누리기를 바란다. 그러기 위해 당신의 생리 경험을 너그럽게 포용하기를 바란다. 왜냐하면 생리는 여성의 몸과 정체성과 삶을 구성하는 아주 중대한 요소이기 때문이다.

이러한 모든 깨달음을 너무도 쉽게 잊어버릴 때도 있다. 너무도 쉽게 다시 예전의 나로 퇴행하는 것처럼 느껴질 때도 있다. 생리 전 우울의 바다에서 허우적거릴 때면, 이 우울도 사랑하기로 마음먹었던 나의 다짐이 화성만큼 멀어 보일 때도 있다. 하지만 나는 안다. 이미 깨달은 것은 아무리 애를 써도 버릴 수 없고, 이미 변하기 시작한 의식 체계는 다시는 그 이전으로 돌아가지 않는다. 어둠의 시간을 지나며 나는 조금씩 더 단단해질 것이고, 고통 속에서도 나는 다시 일어설 사람임을 믿을 것이고, 어둠의 끝에 빛이 있음을 절대 의심하지 않게 될 것이다. 몇 개의 동굴을 통과한 후 나는 고통이든 기쁨이든 매 순간을 감사하며 살아낼 수 있는 건강한 삶의 태도를 갖추게 될 것이다. 애인에게, 친구에게, 부모에게, 인터넷 커뮤니티에, 돈과 명예와 권력에, 나 이외의 다른 것들에 의지하며 살아가는 태도는 결국 나에게 실망과 좌절만 안겨줄 것임을 깨닫게 될 것이다. 결국

이 세상에서 가장 중요한 사람은 나이고, 가장 중요한 일은 나와의 단단한 관계를 맺는 것이며, 순간순간마다 새롭게 다시 태어나는 아이처럼 변화하는 나를 있는 그대로 긍정하고 신뢰하는 마음임을 이해하게 될 것이다. 내 곁에 끝까지 남아 있을 사람은 오로지 나일 것이며, 오로지 나여야만 한다는 사실을 진실로 이해하게 될 것이다.

생리를 임신의 실패로 볼 것이냐, 그저 우리의 몸에서 일어나고 있는 운동 중의 하나이자 자연스러운 순환으로 볼 것이냐는 중요한 지점이다. 단지 생리만의 문제가 아니라 여성의 정체성과 삶을 가로지르는 질문이기 때문이다. 생리를 긍정한다는 것은 여성의 삶을, 여성의 존재 자체를 긍정한다는 의미. 생리를 긍정하지 않는 여성이 과연 자신을 진정 사랑할 수 있을까? 생리하는 자신을 타자화하지 않고 내 삶의 일부분으로 받아들이는 태도는 매우 중요하다. 여성은 가부장제 사회 속에서 오랫동안 스스로를 타자화하고 대상화해왔기 때문에, 너무나 쉽게 생리하는 자신과 선을 그어버리는 경향이 있다. 생리하는 기간은 정상의 범주에서 벗어난 기간이며 재빨리 해치우고 정상적인 몸 상태로 돌아와야 한다고 여기기도 한다. 하지만 이러한 태도로는 절대 나를 진정으로 존중해줄 수 없다. 생리하는 나도, 생리하지 않는 나도 결국은 모두 나다. 그 모든 나를 인정하고 받아들이고 긍정해야만 한다. 그때 우리는 비로소 달마다 피 흘리는 나를 진실로 사랑하게 될 것이다.

보지 긍정

우선 보지라는 말에 많이 놀라고 불편함을 느낀 독자들이 있다면 묻고 싶다. 그렇다면 대체 무슨 표현을 써야 옳겠는가?

남성 생식기를 이르는 말은 고추, 거시기, 음경, 자지, 잠지, 좆, 남근, 남경, 양물 등으로 굉장히 다양하다. 자지나 좆 같은 경우 남성 생식기를 비속하게 이르는 말이라고 하지만, 보지에 비하면 자지라는 표현이 그렇게 저속하고 상스러운 언어라는 느낌이 들지는 않는다. 좆 역시 욕설로 파생되어 굉장히 일상적으로 많이 쓰이는 표현이기도 하다. 자지와 좆 외에는 모두 일상적으로 쓰이는 말이거나, 남근이나 양물 같은 표현은 남성 생식기를 선망의 대상으로 격상시키기까지 한다. 고추라는 표현은 일상적으로 쓰이는데 반해 여성 성기를 가리키는 조개라는 표현은 외설스럽고 음란한 것으로 여겨진다. 여성 생식기를 이르는 말인 줄 알았던 잠지조차 남자아이의 성기를 완곡하게 이르는 말이라

238

고 하니, 이제 여성에게 남은 언어는 몇 개 없다. 보지, 씹, 음부 정도일까? 음부 역시 여성과 남성의 성기를 통칭하는 말이므로 여성 생식기를 특정하여 부르는 말이라고는 할 수 없다. 그렇다면 여성에게 남은 언어는 보지와 씹이 전부이지만, 둘다 저속하고 상스러운 표현으로 취급받는다. 심지어 여성의 생식기에서 유래한 '씹'이 들어가는 욕설은 언제나 부정적인 뜻으로 쓰이지만, '좆'이 들어가는 욕설은 긍정적인 뜻으로 쓰일 때도 있다. 예를 들면 '존나(좆나)'라는 표현은 그 뒤에 붙을 동사의 뜻을 확대하는 긍정적인(+) 의미의 욕설이다. '존나 좋다.' '존나 싫다.' '존나 예쁘다.' 등등, 뒤에 붙을 동사와 별개로 '존나'라는 말 자체에는 부정적인 함의가 없다. 물론 '좆 같은 놈'과 같은 맥락에서는 부정적으로 쓰일 때도 있다. 반면 '씨발(씹)'이라는 표현은 맥락과 관계없이 부정적인(-) 뜻밖에는 가지고 있지 않다. 심지어 '씨발년'은 '씹할 년'이라는 말에서 변형된 것이며, '씹'은 성관계에서 유래한 표현으로 여성 생식기를 특정하는 표현도 아니다. 사전에 검색해보면 '씹'은 여성의 성기를 비속하게 이르는 말일 뿐 아니라 '성교'를 비속하게 이르는 말이기도 하다. 그렇다면 이제 여성에게 남은 언어는 하나다. 온전히 여성의 생식기를 특정하여 이르는 말인 '보지'라는 표현. 하지만 사전에 검색해보면 보지는 음부를 비속하게 이르는 말이라고 한다. 여성에게 남은 단 하나의 언어조차, 함부로 입 밖으로 발설할 수 없는 상스러운 표현으로 여겨진다. 마치 생리라는 단어를 터부시해왔듯, 우리는 너무 오랜 기간 동안 여성의 생식기를 터부시해온 바람에 일상적으로 특정하여 부를 여성의 언어조차 발명하지 못했다.

자, 그럼 다시 묻겠다. 여성 생식기를 무엇이라고 불러야 할까? 영어에서 따온 '버자이너(vagina)'? 이조차 여성 생식기의 일부인 '질'만을 칭하는 표현이다. 보지는 너무 야하고 상스러운 단어 같은가? 하지만 그것이 우리에게 남은 단 하나의 언어다. 생리를 생리라고 부르지 못했듯, 우리는 오랫동안 보지를 보지라고 부르지 못했다. 이 사회에 뿌리박힌 여성혐오는 보지 혐오로 이어졌고 당연한 수순처럼 생리혐오로 이어져 왔다. 우리가 할 수 있는 일은 새로운 여성의 언어를 개발하거나, 이미 존재하고 있는 언어를 긍정적으로 바꾸는 일이다. 생리를 생리라고 불렀을 때 비로소 생리를 긍정할 수 있듯이, 보지를 보지라고 불렀을 때 우리는 비로소 여성의 성기를 긍정할 수 있게 될 것이다. 언어의 힘, 특히 호명의 힘은 어마어마하다. 더 이상 보지라는 표현을 저속하고 야한 것으로 취급해선 안 된다. 여성의 성기는 은

밀하고 비밀스럽게 숨겨져야 하는 것이 아니다. 여성의 성기는 야한 것이 아니다. 그저 신체에 붙어 있는 생식 기관 중 하나일 뿐이다.

　사회에 만연한 보지 혐오는 나라는 개인에게도 영향을 미쳤다. 온라인상에서 쉽게 찾아볼 수 있는 혐오 표현인 '보징어(보지와 오징어의 합성어. 보지에서 오징어 같은 악취가 난다는 뜻의 혐오 표현)'를 처음 접한 날 얼마나 심장이 벌렁거렸는지 모른다. 그 말은 트라우마처럼 내 가슴 속에 깊은 상처를 새겼다. 차마 나열하기 힘든 끔찍한 표현들을 여자아이들이 일상적으로 접하고 있다는 사실에 통제하기 힘든 분노가 차올랐다. 하지만 그러한 혐오 어휘들이 온라인을 넘어 진짜 나의 삶을 통제하고 있다는 사실이 더 끔찍했다.
　'보징어'라는 말을 알게 된 후 나는 내 보지에서 나는 냄새가 신경 쓰이기 시작했다. 사실 여자든 남자든, 성기에서는 분비물이 나오기 때문에 냄새가 날 수밖에 없다. 남자의 성기도 잘 씻지 않으면 비위 상하는 냄새가 난다. 하지만 여자든 남자든, 성기에서 그렇게 심한 악취가 나는 것도 아니니 물로 잘 씻으면 충분하다. 하지만 보징어라는 혐오 어휘는 나로 하여금 보지에서 악취가 날까봐 매시간 씻고 확인하는 극도의 자기 검열을 하게 했다. 자기 검열이 극에 달하자 나는 질 세정제를 사기에 이르렀다. 질에서 꽃향기가 나게 해준다는 세정제였는데, 그것을 사용한 후 질염에 걸려 그만 두었다. 질은 내부에서 자체적으로 균형을 맞추는 면역력을 갖추고 있기 때문에, 질 세정제는 그 균형을 깨뜨리는 역할만 할 뿐이다. 여성의 성기는 흐르는 물에 씻으면 그것으로 충분하다.

하지만 나는 질 세정제에서 포기하고 싶지 않았다. 당시 브라질리언 왁싱이라는 것이 유행했는데, 보지에 난 털을 깨끗이 왁싱하는 방법을 의미한다. 광고에서는 브라질리언 왁싱을 하면 생리할 때도 털에 피가 묻어 거슬릴 일이 없고, 냄새도 훨씬 덜 난다고 홍보했다. 유레카! 이거다 싶었다. 광고에 혹한 나는 그 길로 바로 왁싱 샵에 전화를 걸어 날을 잡았다. 그날이 다가올수록 기대감과 조금의 두려움으로 가슴이 두근거렸다. 드디어 예약날이 되자 나는 함께 시술을 받기로 한 캐나다인 친구와 나란히 왁싱 샵에 도착했다. 캐나다에서 온 친구는 일찍이 내게 슈거링(sugaring) 왁싱법을 알려준 적이 있었는데, 설탕을 뜨거운 불에 녹여 끈적하게 만든 후 털에 붙인 뒤 떼어내는 왁싱법이다. 하지만 내가 집에서 시도해봤을 때는 냄비만 태우고 끝났기 때문에 결국 왁싱 샵까지 오고야 말았다.

직원분이 건네준 편한 바지와 수건을 받아들고 가게 구석에 마련되어 있는 작은 화장실에서 샤워기로 보지를 깨끗이 씻었다. 어차피 벗을 테지만 추리닝 바지로 갈아입은 후에는 천장만 뚫린 채 사방이 막힌 방으로 들어갔다. 그 안에서 바지와 팬티를 벗은 후 누워서 대기하라는 말에 그렇게 했다. 내 친구는 옆방으로 들어갔지만 천장이 뚫려 있어서 모든 소리가 적나라하게 들렸다. 우리는 뻘쭘함에 큭큭대며 간간히 대화를 주고받기도 했다. 직원분이 들어오시기 전까지는. 하반신이 나체가 된 상태로 누워있는데 처음 보는 여자분이 들어오는 경험은 처음이었다. 너무 민망하고 어색해서 진땀을 뺐지만, 그도 오래가지 못했다. 몇 분 후, 처음의 뻘쭘함은 육체의 강렬한 고통에 온데간데없이 사라졌다. 뜨거운 왁스를 보지에 쓱쓱 바른 후에 왁스가 말라 굳어지면 인정사정 볼 것 없이 쫙 떼는데, 진짜 눈앞에 별이 튀었다. 이런 고통은 생전 처음이었다. 죽을 만큼 아프다는 게 뭔지 처음으로 느껴본 것 같았다. 나도 모르게 비명을 지르자 옆방 친구와 직원분이 웃으셨지만 나는 너무 심각했다. 지금 당장 오른팔을 들어 왼팔에 난 털을 한 가닥 뽑아보아라. 혹은 머리카락 하나를 집어서 뽑아보아라. 하물며 가장 예민한 성기에 난 털은 어떻겠는가. 팔털이나 머리카락을 뽑을 때 그 따끔함의 오천 배 정도를 상상해보면 된다. 그날 장장 삼십 분에 걸쳐 내 보지에 난 털 한 가닥조차 용납하지 않고 모조리 다 뜯어내며, 고통에 찬 신음과 비명을 내지르고 생리적인 눈물과 땀을 뚝뚝 흘리며, 다시는 이 쓸데없고 해롭기만 한 짓거리를 하지 않겠다고 몇 번이고 결심했다. 도대체 외국 여자들은 이 짓을 매번 어떻게 하는 거지?

어찌저찌 왁싱을 끝내긴 했지만, 문제는 그 후였다. 비정상적인 자극에 벌겋게 부어오른 보지는 마치 털이 죄다 뽑힌 허연 닭 껍질 같았다. 이상했다. 잘 이해가 되지 않고 심미적으로 균형이 맞지 않는 모양새였다. 신체적으로도 보지를 보호하기 위해 난 털을 모조리 뽑아놓았으니 균형이 깨지는 건 삽시간이었다. 인그로운 헤어를 방지하기 위해 바디 스크럽을 열심히 했는데도, 왁싱을 한 뒤부터는 외음부에 각종 염증이 났고 질염도 심해져서 산부인과를 찾는 일이 잦아졌다. 털이 다시 자라나며 참기 힘든 간지러움과 따가움에 고통받기도 했다. 도대체 뭐가 더 청결하고 편하다는 건지 이해할 수가 없었다. 생리할 때도 털 때문에 고통받아본 적은 딱히 없었기 때문에 브라질리언 왁싱의 당위성은 점점 더 떨어져만 갔다. 결국 나의 브라질리언 왁싱기는 한 번의 시도로 끝나고 말았다.

겨드랑이털 제모는 또한 어떠한가. 여자라면 여름에 필수적으로 받아야 하는 겨드랑이털 레이저 제모 역시 상상을 초월하는 고통을 수반한다. 레이저는 눈에 해롭기 때문에 눈 가리개를 씌운 채로 그 해로운 것을 내 소중한 겨드랑이에 마구 쏘아댄다. 제모실에서 겨드랑이에 레이저를 쏘면 털이 타들어가는 탄내가 진동하며 뼈까지 갈아버릴 듯한 따끔한 느낌에 온 발가락과 손가락이 오그라든다. 여린 겨드랑이 살에 비정상적인 자극을 주니 어찌나 아프겠는가. 제모를 끝내면 얼마나 주먹을 꽉 쥐었던지 손바닥에 손톱자국이 깊게 패어 있을 정도다. 겨드랑이 제모도 더는 못 하겠다 싶었다. 어느 순간부터 겨드랑이털과 보지 털을 제모하지 않는 나에게 전 남자친구가 왜 털을 안 미냐고 물어본 적이 있다.

그럼 너는 왜 안 미냐? 너도 겨드랑이털, 고추 털 나잖아.
난 다르지. 넌 여자잖아.
그거 성차별이야. 알지?
……

대놓고 성차별하는 남자친구에게 열이 받아서 그 후로 다시는 털의 털 자도 못 꺼내게 했다. 심지어 나는 털을 '민' 것도 아니었고 뿌리째 '뽑아버린' 왁싱을 한 것이었다. 혹은 레이저로 지지거나. 털을 밀어본 적밖에 없었을 그놈이 털을 뽑고 태우는 고통에 대해 뭘 안다고 감히 그따위 말을 했을까? 보기 싫은 수염 면도 좀 하라는 내 애원은 귀찮다는 이유로 그렇게도 무시했으면서. 그 이후로 나는 다시는 겨드랑이 털과 보지 털을 제모하지 않겠다고 다짐했다. 명백한 여성혐오이자 코르셋인 산업을 소비하고 싶지 않았다. 그리고 무엇보다 남자의 요구에 고분고분 따르고 싶지 않았다. 내 타고난 반골 기질을 그놈이 자극했다.

생리 일기를 쓰며 나는 언젠가는 해보겠다고 다짐했던 그 일을, 이제는 정말 해야만 한다는 것을 알았다. 샤워를 하고 손을 깨끗이 씻은 후, 아주 오랜만에 거울 앞에 앉아 보았다. 어릴 적 호기심으로 거울에 보지를 비춰보았다가, 왠지 모르게 겁이 나고 죄책감이 들어 금방 그만두었던 기억이 마지막이었다. 다리를 벌리고 앉은 거울 속의 내가 낯설었다. 하지만 남사스럽다는 기분은 들지 않았다. 모든 것이 자연스러워 보였다. 거울 속 나의 몸을 사려깊게 바라보았

다. 어린 내가 겹쳐 보였다. 시간이 흘러 훌쩍 커버린 나는, 거울에 비친 나의 보지를 처음으로 똑바로 들여다보면서, 이곳은 야한 곳도 더러운 곳도 향기가 나거나 예뻐야 하는 곳도 아니라고 내게 속삭였다. 내 보지는 있는 그대로 멋지고 소중해. 그 누구도 내 보지를 함부로 대하거나 모욕하도록 내버려두지 않을 거야. 아랫배를 둥글게 문지르며 그 아래서 열심히 일하고 있을 내 포궁을 떠올려보았다. 처음으로, 내 몸에게 고맙다고 조용히 속삭였다. 왜 나는 이 모든 것들을 너무도 당연시한 나머지 혐오하기에 이르렀을까. 그동안 미안했어. 온 세상이 이곳을 혐오해도 나만은 소중히 여겨주었어야 하는데. 진심으로 내 몸에게 사과했다.

　이런 화해의 시간을 좀 더 일찍 가졌더라면 좋았을 걸. 나의 몸을 혐오하고 무시해왔던 지난 시간이 참 아까웠다. 하지만 지금이야말로 적당한 때이기 때문에 이제　ㅍ알게 된 것일지도 모른다. 오로지 나만의 치열한 투쟁으로 얻은 깨달음이기에 더 귀했다. 나는 오래도록 보지를 들여다보며 어디에 음핵이 있고 질이 있는지, 내 대음순과 소음순은 어떻게 생겼는지, 내 털은 어느 방향으로 어떻게 자라는지 익혔다. 탐폰과 생리컵을 삽입할 때는 이러한 각도로 이렇게 넣어야 편하겠구나, 이리저리 더듬어보며 내 몸을 내 손

에 익혔다. 누구도 침범할 수 없는 나와의 유대감이 굳건히
쌓이고 있었다.

　여성의 몸에 결코 좋을 리 없는 질 세정제, 브라질리언 왁
싱, 질 축소술(이름도 우스운 '이쁜이 수술'), 대음순 및 소음순 미
백 시술 등, 사회적으로 여성에게 요구되는 폭력적인 미적
기준에 못 이겨 성기를 개조하기에 이르는 여자들은 생각보
다 아주 많다. 아직도 이 지구 한복판에서는 여자 아이의 음
핵과 소음순을 잘라내는 끔찍한 여성 할례(FGM)가 자행되고
있다. 여성혐오의 핵심에는 섹슈얼리티가 있다. 남성 중심
사회는 여성의 보지를 혐오하고 생리를 혐오하고 여성의 몸
을 혐오한다. 여성의 성을 통제하고 지우는 사회에서 우리
는 더더욱 목소리를 높여 보지를 호명해야만 한다.
　그러므로 나는 보지를 보지라고 부를 것이다. 나의 보지
를 긍정하고 사랑할 것이다. 털이 수북이 자란, 갈색빛이
감도는 나의 보지를 더 깊이 들여다보고 탐구하고 알아갈
것이다. 나의 보지가 가장 좋아하는 자위 방법과 자위 기구
를 찾아갈 것이다. 나의 보지에 가장 잘 맞는 건강한 팬티와
생리용품을 찾을 것이다. 혹은 월경 중단이라는 선택지를
시도해볼 것이다. 동시에 보지에서 흐르는 나의 피를 사랑

할 것이다. 보지를, 생리를 비밀스럽고 야한 것으로 취급하며 지우고 억압하려는 사회에 굴복하지 않을 것이다. 언어의 투쟁에서 치열하게 싸워 끝내 여성의 언어를 지켜낼 것이다.

보지를 긍정해야만 여성은 자신의 몸을 긍정하고 사랑할 수 있다. 나는 당당하고 자랑스럽게 보지를 호명하기로 했다. 프로이트가 남근 선망이라는 근거 없는 이론을 지어낸 역사에서 영감을 얻어, 나는 이제부터 여근을 선망하고자 한다. 보지, 얼마나 멋지고 아름다운가. 이제는 모두 알 때도 되었다.

내 몸 긍정
Body Positivity

어느 날 번뜩 찾아왔던 예감처럼, 변화 역시 별안간 내 삶 속으로 침입하기도 한다. 생리 일기는 나의 생리를 기쁘게 긍정할 수 있을 때 나의 몸 역시 긍정할 수 있을 것이며, 그때 비로소 온전히 나를 사랑하게 될 것이라는 순진한 예감에서부터 시작되었다. 변화에는 시간이 걸릴 테지만, 분명 언젠가는 내게 변화가 찾아오리라는 확신과 믿음이 있었기에 가능한 일이었다.

생리 일기를 쓰며 나는 어떠한 과거의 기억이 지금의 나를 있게 하였는지, 그리고 지금의 나는 어디쯤 서 있으며 어디로 가고 있는지, 나로부터 한 발짝 떨어져서 바라볼 수 있었다. 사회가 어떻게 생리를 터부시하고 여성을 혐오해왔는지, 그리고 그 속에서 나 스스로가 어떻게 나를 혐오해왔는지 역시 직시하게 되었다. 하지만 머리로 이해하는 것과 마음으로 받아들이는 것은 다르다. 나를 있는 그대로 받아들이고 사랑할 때 진정으로 행복해질 수 있음을 알면서도,

여전히 나는 자기혐오의 늪에서 빠져나오지 못하고 있었다. 아니, 나는 내 몸을 철저히 외면하는 중이었다. 사후 피임약을 먹은 후 호르몬이 미친듯 날뛰며 어느 때보다 격렬한 PMS 기간을 보내는 중이었고 어느 때보다도 가장 극심한 자기혐오에 시달리고 있었다. 다낭성 난소 증후군의 증상으로 온 얼굴에 심한 여드름이 번졌고, 어느 때보다 깊은 우울의 바다에서 허우적댔으며, 내 의지로 조절할 수 없이 날뛰는 식욕과 성욕에 나를 향한 혐오는 점차 선명해지기만 했다.

두꺼운 화장으로 여드름을 겨우 가리고 밖에 나가면 어떤 사람들은 걱정해주는 척을 하며 내 피부를 끊임없이 지적했고 그 바람에 대인 기피증까지 찾아오는 것 같았다. 사주를 봐주던 아저씨는 내 여드름도 관상에 포함되니 피부 관리를 열심히 해야 한다고 말했다. 두 달 하고 때려친 인턴직 이사는 사춘기도 아닌데 피부가 왜 그러냐며, 이상하다고, 병원에 가보기를 추천해주었다. 누군가는 여드름에 좋다는 영양제를 추천해주었다. 오랜만에 만난 친구는 내 피부를 뚫어지라 쳐다보며 말을 아꼈다. 그 모든 말과 시선들은 내게 깊숙한 상처를 남겼다. 아저씨, 이사님, 친구야, 내가 관리를 안 하는 게으른 사람이어서 여드름이 생기는 건 아니야.

그렇게 말하고 싶었지만 하지 못했다. 누군가가 내 여드름을 빤히 바라볼 때마다 얼굴이 홧홧하게 달아올랐고 부위마다 화끈거렸다. 그 사람들에게도 문제는 있었지만, 가장 큰 문제는 나 자신이었다. 나는 내 얼굴을 끔찍하게 증오하고 있었다.

한순간 뒤집어진 피부 상태는 좀처럼 회복되지 않았다. 내가 해볼 수 있는 건 다 해본 상태였다. 여드름에 좋다고 광고하는, 한 장에 천 원인 티트리 마스크팩을 하루에 하나씩 반년간 써보았지만, 푼돈만 낭비했을 뿐 달라진 건 없었다. 화장품 탓인가 싶어 토너와 에센스와 수분크림과 클렌징오일 클렌징폼 기초 라인을 싹 다 바꿔보길 대여섯 번 시도한 뒤에는 포기했다. 비싼 돈을 주고 피부과에 가서 여드름 압출을 받기를 또 몇 개월, 관리를 받으면 그때뿐이었고 생리 주기와 함께 여드름은 끝없이 돌아왔다. 마지막이라 생각하고 병원에 가서 비싼 여드름약을 처방받아 복용하길 또 몇 개월, 별 성과 없이 돈만 낭비하고 끝났다. 그즈음 나는 지칠 대로 지친 상태였다. 여드름을 가리느라 독한 화장품을 그 위에 덕지덕지 칠해 가리고, 그 후에는 화장품 때문에 여드름이 더 심해지는 악순환이 몇 개월째 반복되고 있었다. 집에 돌아와 해묵은 화장 껍데기를 지우고 몸을 씻을 때면 내 얼굴을 쳐다보기 싫어 거울 쪽으로는 눈길도 주지 않았다. 불그죽죽한 염증이 역병처럼 얼굴에 돋아나 있는 모양새를 쳐다보고 싶지 않았다. 거울에 비친 내 얼굴에 눈길이 꽂힐 때마다, 시선은 날카로운 칼날이 되어 심장께를 스쳤다.

여드름 관리를 받으러 처음 피부과에 발을 들였던 날의 기억이 생생하다. 아빠는 그런 곳은 의료 면허증도 없는 사람들이 의료보험도 없이 장사해먹는 아류 병원이라고 했지만, 여드름에는 압출이 가장 효과적이라는 상담 실장의 말에 홀랑 넘어가 큰 돈을 결제했다. 강남에 위치한 삐까번쩍한 고층 건물로 들어가자 한 건물 전체가 뷰티 산업으로 꽉 차있었다. 1층은 접수실 및 상담실, 2층은 피부관리실, 3층은 제모실, 4~6층은 성형외과, 7~8층은 회복실....... 이런 식이었다. 생각보다 굉장히 밝고 휘황찬란한 내부에 발을 들일 때부터 기가 팍 죽었던 나는 접수처 직원들을 보고 더 기가 죽었다. 마치 단백질 인형처럼 짙은 화장을 한 완벽한 외모의 여자들이 승무원 복장처럼 딱 달라붙는 정장을 입고 방긋방긋 웃으며 접수를 받고 있었다. 생각보다 아주 많은 고객들이 1층에서 대기하고 있었는데, 전부 여자들뿐이었다. 저 여자들은 여기에 왜 왔을까. 내가 보기엔 다 예쁘기만 한데. 그들을 보며 잠시 상념에 잠겼다 2층 피부관리실로 올라갔다. 넓은 내부에 고객들이 누워 피부 관리를 받고 있는 간이 침대가 끝없이 쭉 늘어서 있었다. 여자들이 눈을 감고 누워 있는 침대들 사이로 완벽한 외모의 젊은 여자 피부 관리사들이 바쁘게 움직이고 있었다. 그들이 피부관리 전문가가 맞는지도 의심이 들었지만 그곳에서 진짜 의사를 만날 일은 없었다. 아주 잠깐, 의사라는 사람이 일 분 정도 내 침대맡에 들렀다 갈 뿐이었는데 매우 젊어서 진짜 의사가 맞는지도 모를 일이었다. 그곳의 시스템은 마치 공장처럼 로테이션을 돌리는 식이었다. 한 고객이 받을 시술을 침대맡에 누군가 정리해서 붙여놓으면 각 시술마다 해당 담당자가 쭉 돌아가며 기계적으로 해치우는 식. 나도 몰랐던 막대한 거대 자본이 운용되는 현장을 보고 있는 것 같았다. 그곳에서 바쁘게 돌아다니는 여성들은 아름다운 마네킹 인형 같았고, 가만히 누워 있는 여성들은 클론 같았다. 공장식으로 기계를 찍어내듯, 그렇게 여자들은 피부 관리를 받고 있었다. 여드름 압출은 브라질리언 왁싱과 버금가는 정도의 엄청난 고통이어서 압출을 받을 때마다 눈물이 쏙 빠졌지만, 그 고통보다도 그곳의 분위기를 견디기가 힘들어 곧 그만두었다. 이 거대한 산업의 꼭대기에는 누가 있을까? 눈을 쿡쿡 쑤실 만큼 환한 조명 아래, 쉬지 않고 또각거리는 구두 굽 소리만이 귓가를 울렸다.

　기억나지 않는 아주 오래된 과거부터 문득문득 나를 사로잡았던 어떠한 이미지들이 있다. 길거리에서 나를 스쳐 지나가는 모든 사람들의 얼굴이 서서히 지워지고 그 자리에 아주 붉고 거대한 포궁이 내려앉는 환상. 그런 시상들이 금세 잊히지 않고 내 정체성의 일부로 파고들어 자리잡을 때도 있다. 어느 순간부터 나는 내 얼굴이 선명한 붉은색의 포궁으로 보이기 시작했다. 나의 포궁 상태가 그대로 얼굴로 드러나는 형태가 여드름인 것 같았다. 여드름은 마치 포궁이 나에게 뭐라고 끊임없이 걸어오는 말처럼 느껴졌다. 어떨 때는 아무런 화장이나 가림막 없이 공기중에 취약하게 드러난 내 얼굴을 거울 속으로 가만히 들여다보았다. 이 얼굴처럼, 나의 포궁에도 이런 혐오스러운 종기들이 돋아 있을까? 사주를 보러 가면 종종 임신이 힘들 것이라는 예언 아닌 예언을 듣곤 했다. 이 여드름을 치료하려면 산부인과에 가야 한다는 사실을 알았지만, 왜인지 모르게 자꾸 미루고 있었다. 어쩌면 인정하기 싫었는지도 모르겠다. 생리불순, 여드름, 부정 출혈, 지옥의 PMS로 끊임없이 힌트를 주고 있었던 나의 몸을. 나의 포궁이 뭔가 잘못되었다는 사실을 받아들이기 무서웠는지도 모르겠다. 설마 정말 포궁 때문은 아닐 거야. 호르몬 때문은 아닐 거야. 다른 이유가 있겠지. 그렇게 엉뚱한 곳에 절실하게 돈을 쏟으며 시간과 감정을 낭비했는지도 모르겠다. 거울을 가만히 들여다보고 있으면 불쑥불쑥 형체를 알 수 없는 추악한 충동이 끓어올랐다. 끔찍했다. 더는 이렇게 방치해둘 수 없었다.

결국 산부인과에 다시 가서 다낭성 난소 증후군을 다시 진단받은 후에, 호르몬제와 진통제로 얼마든지 나의 호르몬을 조절할 수 있는 선택권이 나에게 있음을 알게 된 후에, 나는 무엇인가에서 해방된 사람처럼 자유로워졌다. 나는 뭔가 잘못되고 뒤틀린 비정상적인 몸을 가진 사람이 아니었다. 그저 호르몬 불균형으로 인해 발생한, 누구에게나 일어날 수 있는 일상적인 증상들을 겪었을 뿐이다.

호르몬제를 먹으며 나를 괴롭게 했던 모든 증상들은 점차 나아졌지만, 당연히 한순간에 여드름이 뿅 사라지는 건 아니었다. 전보다는 누그러졌지만 여전히 내 얼굴 위에 아무렇게나 흩뿌려져 있는 붉은 흔적들을 바라보며, 난 여전히 그들을 사랑할 수 없는 내가 미웠다.

변화는 어느 날 문득 찾아왔다. 하지만 사실 문득 찾아오는 변화란 나의 치열한 고민과 고통의 밤들이 쌓이고 쌓였을 때, 그 끝에서 희미한 구원처럼 드러나는 빛의 조각 같은 것이다. 하염없이 변화를 꿈꾸고 진실을 염원하는 마음은 언젠가는 보상을 받는다.

하늘은 높고, 강물은 푸르게 흐르는 천변의 계절이었다. 찌는 듯한 더위는 이미 물러갔지만 아직 완연한 겨울은 오지 않은 지난한 과도기의 시간. 무엇인가를 내 안에서 한없이 미루기만 하고 있던 나처럼, 이도 저도 아닌 채로 애매하게 끼어든 가을은 끝없이 유예된 시간처럼 거기에 붙박여 있었다. 예감이, 변화가 돌연 내 후두부를 내리쳤던 것과 같이, 시상은 한순간 나에게로 왔다. 영원히 끝나지 않을 것 같던 가을의 끝자락에서 나는 트럭 화물칸에 무덤처럼 쌓여 실려가는 잿빛의 마른 잎들을 보았다. 그 순간 내 시야를 줄곧 가리고 있었던 무언가가 벗겨지기라도 한 듯, 모든 것이 선명하게 보였다. 나의 발끝에 사각 밟히는 마른 플라타너스 잎들, 옅은 갈색과 푸른색과 누런빛이 한데 섞여 혼란한 색채, 그 곁에 드문드문 흩어져 아스팔트 바닥에 말라붙은 홍엽들. 끝이 보이지 않는 거리 위로 낙엽들이 푸르게 수놓아져 있었다. 고개를 뒤로 끝까지 꺾어 하늘을 올려다보았다. 닿을 수 없이 높은 곳에서 은행나무가 햇살을 받아 무한대의 각도로 반짝거리고 있었다. 찬란한 빛을 반사해대는 단풍을 하염없이 올려다보며, 그 순간 나는 깨달았다. 예술사란 단지 자연의 아름다움을 조금이나마 따라잡고 싶어 애써온 역사이며, 이 세계의 모든 것은 이 고대(古代)의 자연 앞에서 겸허해져야 한다는 것을. 우리 모두 종종 잊지만, 사실 나조차도 단지 자연의 일부분에 지나지 않는다는 사실 말이다. 나는 애써 발걸음을 옮겨 흐드러지게 피어나 거대하게 흔들리는 은행나무 앞 벤치에 앉았다. 내 머리 위로 쏟아지는 노란 빛 속에 몇 시간이고 앉아 있던 그때처럼, 내가 자연과 연결된 차원을 넘어 완벽하게 합일되어 있음을 느낀 적은 없었다. 나 자체가 자연이라는 사실이 선명하게 느껴졌다. 그때 나는 무언가 거대한 한 꺼풀이 내게서 벗겨지는 환영을 보았다.

실바람에 머리 위로 흩날리는 은행잎들과 내 다리를 스치며 슬며시 지나간 검은 고양이, 끊임없이 주위를 빙빙 맴도는 파리, 그리고 나. 우리가 모두 이 세상의 일부라는 사실을 새삼스레 인식하는 것은 참으로 낯선 감각이었다. 마치 벤치에 앉아 있는 나는 결코 벤치에 앉아 있는 나를 볼 수 없는 것처럼 말이다.

그날 이후, 놀랍게도 내 피부 위에 울긋불긋하게 피어오른 여드름들이 사랑스러워 보이기 시작했다. 내 얼굴 위로 단풍이 피고 지는 것처럼 보였다. 이런 색의, 이런 크기의, 이런 무늬의 여드름은 오로지 내 얼굴 위에만, 이 세상에서 오직 단 하나의 문양으로 여기에만 새겨져 있을 것이었다. 또한 이 문양들은 단 하루도 같지 않으며 매 순간마다 천변만화하고 있는 것이었다. 얼마나 독특하고 아름다운 나만의 문양인가. 그저 꽃이 피고 지고 푸른 잎이 단풍으로 물들고 낙엽이 땅에 스며들어 다시 거름이 되는 것처럼, 내 몸역시 계절의 주기에 따라 함께 순환하며 치열하게 운동하고 존재하고 있음을, 나는 비로소 이해했다. 그때부터 나의 여드름이 병리적인 것으로 보이지 않았다. 치료의 대상으로 보이지 않았다. 그저 내 몸의 일부로, 내 피부의 일부로, 내 정체성의 일부로 보였다. 내 몸에서 벌어지고 있는 자연스러운 현상으로 받아들여졌다. 본래의 나의 모습에 여드름이 오점처럼 얹어진 것이 아니라, 여드름이 난 나라는 새로운 정체성이 태어났다. 그리고 그 광경은 썩 아름다웠다.

건강에 사실상 별 위협도 되지 않는 여드름을 병리적인 것이 아니라 자연스러운 몸의 주기로 이해하면 어떨까. 깨끗하고 말끔한 피부를 디폴트 값으로 놓지 않으면 어떨까. 달마다 겪는 PMS와 달마다 돌아오는 생리 주기를 빨리 벗어나고 치료해야 하는 병적인 기간이 아니라, 그저 내 삶의 한 부분으로, 내 정체성으로 받아들이면 어떨까. 생리하지 않는 기간을 디폴트 값으로 놓지 않으면 어떨까. 기쁨과 행복만이 감정의 전부가 아니듯, 우울과 고통과 괴로움과 눈물도 나의 다양하고 풍부한 감정 중 하나로 받아들이면 어떨까. 올바른 피부, 올바른 체형, 올바른 질, 올바른 포궁, 올바른 감정, 올바른 성은 없다고 생각해보면 어떨까.

　여드름을 고쳐야 할 병이 아니라 자연스러운 몸의 일부로 받아들였을 때, 나는 비로소 생리 긍정이 몸의 긍정으로 이어졌음을, 생리 일기를 쓰기로 결심했을 때의 그 첫 예감이 현실이 되었음을 깨달았다. 내가 오랫동안 고대했던 변화의 순간이 이미 내 안에서 한순간 휘몰아치고 지나갔음을 깨달았다. 그 순간이란, 내 몸의 모든 부분들을 있는 그대로 긍정하고 받아들이고 직시하고 사랑할 수 있는, 비현실적일 것만 같았던, 먼 미래일 줄만 알았던 혁명의 순간이었다. 나의 몸을 사랑한다는 것은 나를 온전히 사랑한다는 것과 같은 말이었다. 나를 사랑한다는 것은 나의 우울과 기쁨과 고통과 불완전함을 사랑한다는 것이었다. 나를 사랑한다는 것은 내 앞에 놓인 이 거대한 운명을 끌어안는 것밖에는 다른 선택지가 없음을 겸허히 받아들이는 것이었다. 그리고 그 운명이 영원히 회귀하더라도, 내 삶을 처음부터 다시 온전히 살아가야 하더라도, 다시 돌아온 삶이 무수히 반복되더라도 조금도 후회하지 않을 수 있을 정도로, 나를 무조건적으로 긍정하는 것이었다. 이 세계가 아닌 다른 어딘가를 꿈꾸는 게 아니라 지금, 이 순간에 살아 있는 것이었다. 온전하지 못한 나를 받아들이고, 인정하고, 대면하고, 직시할 수 있는 용기를 가진다는 것이었다. 나라는 사람이 이 세상에 오로지 단 한 명뿐이라는 놀랍고도 두려운 사실을 이해하는 것이었다. 그런 나와 평생 함께 살아갈 것을 굳게 약속하는 것이었다. 나는 다시금 거울 앞에 서서 나의 울긋불긋한 얼굴을 아주 오래도록, 가만히 들여다보았다. 그 얼굴이, 그 여드름이 싫지 않다는 사실이 놀라웠다. 아니, 오히려 내가 그 누구보다도 여기 치열하게 존재하고 있음을 증언해주는 흔적 같아서 멋있었다. 나는 그날 나를 존중하는 법을 처음 배웠다.

내 몸을 있는 그대로 받아들이고 긍정한다는 것, 내 몸을 다른 누군가가 사랑해주기만을 기다리지 않는다는 것, 내 몸을 그 누구보다 내가 가장 사랑한다는 것, 내가 내 몸의 주체가 된다는 것. 이것이야말로 여성이 꾀할 수 있는 최고의 혁명이다. 오랜 세월 대상화되고 타자화되어 왔던 여성이 몸의 주체로서 바로 서는 일은 여성의 몸과 성을 향한 가부장적 억압을 무력화하는 근본적인 혁신이다. 시선 강간이라는 신조어가 어떻게 생겨났는지 여자들은 안다. 시선에는 권력이 내포되어 있다. 지하철에서, 교실에서, 카페에서, 길거리에서 내 몸을 진득하게 쓸어내리던 폭력적인 시선들. 공중화장실과 모텔에 숨어 내 몸을 지켜보고 있을 카메라들. 그들의 성기를 노출하는 것임에도 내가 부끄러워하고 숨어야 했던 바바리맨들. 성범죄의 대상이 될까봐 언제나 나의 몸과 말투와 행동과 시선을 검열해야 했던 시간들. 공공장소에서 타인의 시선을 의식하지 않고 제멋대로 민폐를 끼치고 다니는 늙은 남자들의 일상적인 말과 행동을 여자가 하면 그는 미친 여자가 된다. 여성은 언제나 타인의 시선으로부터 자유로워질 수 없는 객체의 위치에만 존재했을 뿐, 주체로 서본 적이 없었다. 내 몸의 주체가 된다는 것은, 내 삶의 주체로서 바로 선다는 의미다. 한껏 치장한 채 남자에게 간택받기만을 기다리는 새장 안의 새처럼 살아가지 않아도 된다는 의미다. 내 삶이 올바른 궤적을 지키고 있는지 남으로부터 사회로부터 검사받을 필요 없이, 누군가의 인정과 평가를 갈구하지 않고 내가 내 삶을 스스로 숙고하고 선택하고 개척해나가도 된다는 의미다. 나의 존엄성은 내가 지킬 것이며, 나의 존엄성을 해치는 것들에 강인하고 단호하게 맞서 싸운다는 의미다. 내가 언제나 옳을 수는 없겠지만, 언제든 반성하고 변화하고 나아갈 수 있는 인간임을 믿는다는 의미다. 나를 해방시킨다는 의미다. 그 무엇으로부터든.

그리고 인류의 그 거대한 첫 번째 발걸음은 생리를 긍정하는 것에서부터 시작될 것이라고, 나는 믿어 의심치 않는다.

생리 공포

남자들이 오랜 기간 월경을 두려워하여 온갖 미신을 지어낸 역사는 자명하다. 종교적으로 그리고 사회적으로 얼마나 오랜 기간 월경을 배척하고 혐오해왔는지는 조금만 검색해봐도 쉽게 찾아볼 수 있다. 남자들은 여성의 월경혈을 자신들을 죽일 수도 있는 무시무시한 독극물이나 마녀의 독약쯤으로 이해한 것 같다. 그럴 만도 하다. 달마다 질에서 시뻘건 피가 흐른다니, 얼마나 그로테스크한가. 게다가 그 피가 자신들을 만들어 낳았다니, 얼마나 신비로운가! 포궁이 없는 인간으로서는 평생 결코 체험해볼 수 없는 미지의 세계가 아닌가. 타인을 향한 오해는 무지와 공포에서 기인하는 경우가 대부분이다. 그리고 남자들이 이토록 월경을 혐오하게 된 그 밑바닥에는, 무지보다는 공포에 가까운 감정이 깔려 있을 것이다.

오래전 〈500일의 썸머〉라는 영화를 처음 봤을 때가 기억

난다. 영화 자체는 별로 내 취향이 아니었다. 연출이 너무 간지럽고 유치한 데다가 전격 희망으로 끝나는 로맨틱 코미디 영화여서 영화관에서 헛웃음을 지으며 나온 기억이 있다. 그런데 그 나이브함이 바로 이 영화가 가진 힘이었던 탓일까, 꽤 오랜 시간 내게 남아 있던 영화이기도 하다. 영화 자체는 시작부터 '비치(bitch, 암캐)'라는 여성혐오 욕설로 포문을 열고, 첫 장면부터 썸머가 이별을 고한 이유를 호르몬과 PMS에서 찾는 여성혐오로 가득한 영화다. 특히 남자 주인공이 썸머에게 사랑에 빠지는 과정은 너무 불편해서 폭력적으로 느껴지기까지 했다. 그녀에 관해 아는 게 아무것도 없는데 그 감정을 사랑이라고 철석같이 믿는 점도 나로서는 이해할 수 없었다. 그런데도 내가 이 영화를 오래 기억했던 이유는 썸머라는 여성 캐릭터 때문이다.

나는 이 영화를 썸머의 이야기로 기억한다. 남자 주인공 입장에서 이야기가 전개되고 그런 탓에 썸머를 일방적으로 '쌍년(bitch)'으로 낙인찍는 관객들도 많았지만, 내게 남은 것은 그들의 관계도 사랑도 운명론도 아니었다. 오로지 썸머라는 여성, 그녀 하나뿐이었다. 나는 철저하게 썸머에게만 공감하고 감정 이입했으며 그녀의 입장에서만 이 이야기를 이해할 수 있었다. 나는 이 영화를 썸머가 여러 관계를 통해 삶을 배우고 성장하는 이야기로 기억한다. 말하자면 나는 책과 영화를 포함한 온갖 종류의 대중 문화 사이에서 나와 닮은 캐릭터를 그때 처음으로 발견했고, 그래서 더없이 감격했다.

썸머가 톰에게 처음 관심을 가지는 계기는 그가 엘리베이터에서 더 스미스(The Smiths)의 노래를 듣고 있었기 때문인데, 그 장면이 너무 '나'스러워서 소름이 돋기도 했다. 밴드 더 스미스를 실제로 좋아하기도 했고, 내가 누군가에게 관심을 가지고 사랑에 빠지게 되는 계기 역시 그러한 순간들이었기 때문이다. 심각한 연인 관계보다는 캐주얼한 관계를 지향하는 점도 나와 비슷했다. 나는 세상의 관계들은 애인이나 친구처럼 몇 가지의 단순명료한 영역으로만 구획될 수 없다고 믿는다. 그녀의 유머 코드라든가 사랑과 운명론에 대한 가치관, 성적 지향성, 'I love you' 대신 'I like you' 라고 말하는 태도, 심지어 사소한 취향까지도 나와 비슷했기 때문에 나는 그녀만으로도 이 영화를 즐길 수 있었다. 인쇄실에서 충동적으로 톰에게 키스한다든가, 영화관에서 톰과 함께 영화를 보고 펑펑 운 뒤에 나와서는 갑자기 이별을 고한다든가, 사랑을 믿지 않는다고 말해놓고 바로 다른 남자와 결혼한다든가, 이런 모든 면들이 나로서는 너무 쉽게 이해가 됐다. 나는 그녀를 이해하지 못하는 톰이 더 이해가 안 됐다. 식당에 앉아 오스카 와일드의『도리언 그레이의 초상』을 읽고 있는데 다가와서 책 내용을 물어본 사람과 결혼하는 건 썸머에게는 너무 당연한 일처럼 보였다. 톰은 링고 스타를 좋아한다고 썸머를 놀리는 사람이었지 않은가. 여성혐오적인 면을 품고 있는 남자이기도 하고. 썸머와 헤어지기 전까지는 건축가라는 꿈에 도전해볼 생각도 못 했다. 톰이 건축의 꿈을 나누며 썸머의 팔에 건물들을 그려준 그 벤치를, 그녀 역시 좋아하게 되었다는 사실은 꽤 의미심장하다. 어쩌면 썸머에게 톰의 건축 이야기는 꽤나 중요한 요소였을지도 모른다.

사실 썸머를 이해하는 방법은 그렇게 어렵지 않다. 그녀는 다분히 충동적이고 변덕스럽긴 하지만, 충분히 그럴 수 있다. 그냥, 인간이라서 그렇다. 여자도 그저 한 명의 인간일 뿐이며, 젠더 규범을 뛰어넘어 한 명의 사람으로서 이해받을 권리가 있다는 사실을. 하긴 영화계의 여성 캐릭터는 착한 여자이거나 나쁜 여자라는 매우 폭력적인 이분법에 의해 만들어진 지루한 캐릭터가 대부분이기 때문에 그다지 놀랄 일도 아니다. 영화계에서 여성 캐릭터가 너무 평면적이고 남성 캐릭터에 비해 깊이가 얕다는 문제는 끊임없이 지

적되어오고 있다. 벡델 테스트(Bechdel test)가 고안된 지 삼십
년이 훌쩍 지났는데도 한국 영화계는 발전의 기미가 보이지
않는다. 이는 비단 영화 안의 캐릭터에만 국한되는 문제가
아니라 현실에서도 마찬가지다. 여성에게 허락된 삶의 영
역은 남성에 비해 매우 좁고 얕다. '여자다움'이라는 젠더를
매순간 연기하며 살아가도록 교육받은 여성들은 너무 오랜
기간 사회적 여성상에 스스로를 끼워맞추려고 노력해온 탓
에 자기 자신과 거리가 매우 멀어져 버렸다. 하지만 썸머는
오로지 자기 자신일 뿐, 다른 그 무엇도 아니었다.

'착한 여자 콤플렉스'라는 용어가 있다. 사회적으로 여성
에게 요구하는 역할인 '착한 여자'가 되기 위해 스스로를 옥
죄고 얽매는 콤플렉스다. 이 기준에서 벗어나면 '나쁜 여자'
가 된다. 마치 '김치녀'와 '개념녀'를 가르고 '성녀'와 '창녀'를
가르는 이분법처럼. 착한 여자 이외에는 다 나쁜 여자라면,
그래서 썸머가 '썅년'이라면, 난 그냥 나쁜 여자가 되기를
택하겠다. 칠 년 전 이효리가 '배드 걸스(Bad Girls)'라는 곡을
발표한 적이 있었다. 칠 년 전인만큼 모든 가사에 공감하지
는 못하겠지만, 딱 한 줄이 기억나긴 한다. '영화 속 천사 같
은 여주인공, 그 옆에 더 끌리는 나쁜 여자.' 왜 나쁜 여자에

게 더 끌릴까? 그 여자가 더 인간답기 때문이다.

인간은 불완전하고 변덕스럽고 때때로 지독하게 감정적이면서 차갑게도 이성적이고 사랑과 혐오를 구분하지 못하고 스스로를 자학하다가도 타인에게 모든 잘못을 돌리고 가끔은 술을 먹고 공공장소에서 엉엉 울기도 하고 타인에게 손해를 끼치며 동시에 피해를 보기도 하고 상처를 주고 못내 상처받기도 하는 존재다. 여자 배우가 남자 배우에 비해 설 자리가 없다는 사실은 누구도 반박하지 못할 것이다. 남자 배우는 못생길 수 있고 빼빼 마를 수 있고 건강이 걱정스러울 정도로 뚱뚱할 수 있고 잘생겼지만 찌질하고 못될 수 있고 권력과 욕망에 눈이 멀어 범죄를 저지를 수 있고 바람을 피우고 불륜을 저지르고 성매매를 하고도 외롭고 불쌍한 사람으로 이해받을 수 있고 심지어 강간과 살인을 하고도 불우한 과거사로 인해 일정 부분 정당성을 부여받을 수 있고 소시오패스이거나 사이코패스이면서 매력적일 수 있다. 쉽게 말해, 남성 캐릭터는 아주 입체적인 반면 여성 캐릭터는 평면적이다. 배우뿐이겠는가. 실제 현실에서도 그렇다. 여자로 살아가는 게 너무 재미가 없다. 지루하다. 그래서 나는 이제 그냥 인간으로 살아가기로 했다.

여성은 모두 조금씩 더 이기적일 필요가 있다. 타인보다 자신을 우선시할 필요가 있다. 타인을 챙겨주는 사소한 매너 따위를 논하자는 것이 아니다. 인생의 결정적인 순간에 여자들은 종종 양보를 해왔다. 아니, 해야만 했다. 남동생 대학 보내려고 공장에 갔던 할머니 세대의 여자들이 그랬고 남편 직업을 따라 고향을 버렸던 엄마 세대의 여자들이 그러했으며 직업과 육아 사이에서 어쩔 수 없이 전자를 포기해야만 하는 우리 세대의 여자들이 그렇다. 바람을 피우고 성매매를 하고 단톡방에서 성희롱을 한 남자를 너무 쉽게 용서하는 여자들이 그러하고 심지어 데이트 폭력이나 스토킹을 당해도 범죄라고 잘 인식하지 못하고 용서하는 여자들이 그러하며 학대당하면서도 자식을 위해 이혼하지 못하는 여자들이 그렇다. 나를 괴롭게 하는 시댁을 참고 받아주고 나를 모욕하는 엄마를 미워하지 못하고 나를 돌보지 않는 아빠를 당연하게 받아들이는 여자들이 그렇다. 명절에 아빠와 남동생은 큰 식탁에서 먹지만 엄마와 나는 작은 식탁으로 밀려나야 해도 아무 말 못 하는 여자들이 그렇다. 사회에서 어느 정도 높은 위치까지 올라갔을 때, 나보다 자격이 떨어지는 남자가 단지 남자라는 이유만으로 더 좋은 자리를 차지해도 항의할 수 없는 여자들이 그렇다. 여자 개인의 힘으로는 도저히 뚫고 들어가지 못할 공고한 가부장제가 우리를 그렇게 만들었다. 인생의 중요한 순간들에 침묵하도록 만들었다. 왜냐하면 침묵하지 않고 목소리를 내기 위해 여성이 치러야 하는 값이란, 자신의 인생을 걸어야만 하는 것이기 때문이다. 가부장제는 착하고 말 잘 듣고 예쁜 여성만 살아남을 수 있는 구조를 만들었다. 마치 귀엽고 예쁜 강아지만 잘 팔리는 반려견 시장처럼.

그러나 여성이 유일하게 착하지 않아도 괜찮은 기간이 언제일까? 생리 기간이다. 남자들이 생리를 향해 가진 막연한 공포심은 여기서 기인한다. 생리는 가장 여성다운 것이면서 동시에 비여성의 영역으로 튀어 나가는 경험이기 때문이다. 생리할 때 여자들이 예민해진다는 사회적 합의는 일종의 편견이자 혐오이면서 동시에 면죄부가 되기도 한다. 사회적으로 요구되는 '착한 여자'라는 기준에서 잠시 벗어날 수 있는 기간이기도 하다. 생리하는 여성은 공공연하게 성욕을 욕망할 수 있고 변덕스럽게 짜증을 부리거나 무례한 말에 '예민하게' 받아칠 수 있다. 한 마디로 포궁에서 유래한 여성혐오 용어인 '히스테리'를 부릴 수 있다. 생리한다는 사실만으로 그 모든 것에 정당성이 부여된다. 여성이 포궁을 가진 존재라는 사실이 재확인되며 여성혐오가 공고해

지지만, 그것이야말로 여성이라는 다른 존재를 도무지 이
해할 수 없는 남자들이 만들어낸 가장 합리적인 설명이었
을 것이다. 그리고 그것은 분명 포궁에 대한 공포에서 비롯
되었을 테다. 거세 공포증이라는 이론처럼, 포궁 공포증도
분명 있으리라. 포궁을 가지지 못한 존재라는 불안과 공포.
자신이 결코 가질 수 없고 경험할 수 없는 것에 대한 공포.
착한 여자로 고분고분하게 내 손 안에만 남아 있어야 하는
여자가 수틀리면 저 바깥으로 튀어나가버릴 수도 있다는 공
포. 애완견으로만 얌전히 남아 있어야 하는 여자가, 사실은
자신을 낳을 수도 죽일 수도 있는 거대한 자연의 힘을 가진
존재라는 공포. 그러한 공포로부터 월경 터부는 시작되었
을 것이다.

*

　여성이 특별히 포궁을 가진 존재여서 변덕을 부리는 것은
아니다. 생리 기간이어서 히스테리를 부리는 것도 아니다.
그냥, 인간이라서 그렇다. 다른 모든 인간들처럼, 결코 완
벽할 수 없는 평범한 인간이라서. 젠더 이분법에서 벗어나
여성을 여성으로서가 아니라 단지 한 명의 인간으로서 이해

할 수 있을 때, 우리 사회에 만연한 생리 공포는 치유될 것이다. 그리고 그것이야말로 생리 해방, 나아가 여성해방에 이르는 길이다.

생리 일기를 쓰자

문학이 세상을 바꿀 수 있을까.

아니, 이렇게 거대한 질문을 던지기 전에 먼저 다른 이야기를 해보고 싶다.

문학이 나를 바꿀 수 있을까.

스무 살, 국어국문학과에 입학할 당시 내게 있어 가장 큰 화두는 '문학이 세상을 바꿀 수 있는가?'였다. 그 질문에 답하는 일은 쉽지 않았다. 나는 자주 비관과 허무에 빠졌고 그럴 때마다 글쓰기를 반복했다. 사실 이 세상에 세상을 바꿀 수 있는 것이 얼마나 될까. 정치를 한다고 세상을 바꿀 수 있을까? 대기업 회장이 되면 세상을 바꿀 수 있을까? 아니, 대통령이 되면 세상을 바꿀 수 있을까? 애초에 세상이 바뀐다는 것이 무엇일까. 정권이 교체되는 것? 정책이 바뀌고

헌법이 개조되는 것? 문화와 관행이 바뀌는 것? 그러한 변화는 어떻게 판단하지? 가시적인 물성의 잣대로 이 세상의 변화를 판단할 수 있을까? 아니, 그 전에, 그렇다면 내가 바라는 변화란 무엇일까. 적어도 내가 바라는 변화는 모두가 합의할 수 없는 구체적인 항목들의 변화 같은 건 아니었다.

문학은 세상을 바꿀 수 없어. 이렇게 말하는 이들에게, 혹은 나 자신에게 되묻고 싶었다. 세상을 바꾼다는 것은 무엇이며, 아니 그 전에, 당신이 말하는 세상이란 무엇이냐고. 한국 정부? 한국 사회? 한국 문화? 한국을 넘어선 전세계? 개개인의 삶? 아니면 그 모든 것? 세상 속에 개인이 존재하고, 작은 개인으로부터 넓은 세상으로 뻗어나간다는 선형적인 이미지는 내게 별로 설득력이 없어 보였다. 나에게는 내가 곧 세상이고 세상이 곧 나였다. 세상이 변한다는 것은 곧 나의 세상이 변하고 내가 변한다는 의미였다.

무언가가 세상을 바꿀 수 있을까. 그러한 질문은 참 낡았고 더는 큰 의미가 없다는 생각이 들었다. 세상이 어떤 한 사람 때문에, 한 사상 때문에, 한 운동이나 한 정책 때문에 바뀌는 것은 아니다. 모든 사건이 다 지나간 후 인간들이 이 세계를 어떻게든 이해하기 위해 한 사람을 지정해 역사적 인물로 세우거나 어떠한 철학과 종교와 사유를 발명해 해석

했을 뿐, 그런 것들이 필연적으로 세상을 변화시켰다고 단언할 수는 없다. 사실 세상은 언제나 변화하고 있으며 그것이 거대한 역사의 줄기를 일컫는 것이든 한 국가의 정치나 문화, 혹은 개개인의 삶을 이르는 것이든 세계는 늘 변하고 있다. 내게는 나의 삶을 어느 방향으로 변화시킬 것인지가 중요할 뿐이다. 그리고 문학은 개개인을 바꿀 수 있다. 내 삶을 변화시킬 수 있다. 내 의식 체계를 뒤흔들어 굳게 믿고 있던 신념을 무너뜨리고 새로운 가치관을 재창조할 수 있다. 어떤 책을 읽기 전의 나와 읽은 후의 나는, 겉으로는 같아 보일지 몰라도 전혀 다른 사람이다. 따라서 문학이 나를 바꿀 수 있을지 묻는다면, 나는 단연코 '그렇다'고 답할 수 있다. 그리고 나는 이 질문이, 문학이 세상을 바꿀 수 있는지 묻는 말과 크게 다르다고 생각하지 않는다.

　책을 읽는 사람과 읽지 않는 사람, 글을 쓰는 사람과 글을 쓰지 않는 사람 사이에는 아주 깊고 질적인 차이가 있다. 책을 읽는다는 것은 타인의 생을 들여다보는 일이고, 글을 쓴다는 것은 나의 생을 들여다보는 일이다. 글을 쓴다는 것은 나에게 솔직해지는 일이다. 나에게 솔직해진다는 것은, 나의 치부와 트라우마와 온갖 추악한 감정을 회피하지 않고 직면할 줄 안다는 것이다. 내가 가장 숨기고 싶은

나의 이면을 직시하는 일이다. 내가 무엇이 부족한지, 무엇을 잘못했는지, 어떤 두려움과 불안과 질투와 혐오와 방어기제를 품고 있는지, 어떤 상처를 받았는지 그리고 주었는지, 스스로를 그리고 타인을 얼마나 미워하고 있는지 낱낱이 들여다보고 내가 이토록 불완전한 인간임을 인정하는 것이다. 나의 어두운 면면을 일일이 헤집어내어 똑바로 바라보는 일은 생각보다 매우 괴롭다. 하지만 이처럼 어마어마한 고통을 수반하는 글쓰기를 통해 내 자신을 스스로에게 투명하게 내보일 수 있게 되었을 때, 비로소 있는 그대로의 나 자신을 사랑할 수 있다. 나로서는 도무지 다른 방법을 생각해낼 수 없다. 나에게는 글쓰기가 나를 사랑하는 단 하나의 방식이었다.

생리 일기를 쓰며 나는 처음으로 나와의 대화를 더듬더듬 시작했다. 나의 몸과 소통하고 나 자신을 이해하기 위해 노력하기 시작했다. 내가 어떨 때 어떤 감정을 느끼는지, 어떤 가치관과 취향을 가진 사람인지 가만히 들여다보기 시작했다. 몸이 조금이라도 불편함을 느끼면 병원을 찾았고, 산부인과를 자주 방문하며 나의 기록을 쌓기 시작했다. 나와의 관계를 최우선으로 두고 나를 공부했다. 가끔 지치더라도 나를 끝까지 믿고 기다려주는 사람 역시 나일 것임을 알

앓다. 도무지 사랑할 수 없었던 나의 몸을, 여드름을, PMS 의 우울과 괴로움을 받아들이게 되었다. 생리를 긍정하게 되었다. 그럼으로써 내 인생의 모든 부분들을 덩달아 긍정 하게 되었다. 그리하여 글쓰기는 내가 원하는 방향으로 나 를 변하게 했고, 지금 이 순간에도 나는 더 나은 방향으로 나아가고 있다.

여성의 기억을 기록하고 여성의 언어를 발명하고 싶다는 생각을 자주 한다. 어쩌면 생리에 관한 나의 신변잡기식 이 야기들은 별 의미 없는 나만의 경험일 수도 있겠지만, 이 경 험이 누군가에게는 위로가 되고 또 용기가 되어줄 것임을 안다. 또한 지금껏 여성들이 자신만의 특별할 것 없는 사소 한 경험이라 여기고 침묵해왔던 이야기들이, 결국 여성의 삶을 바꾸고 세상을 바꿀 것임을 안다. 따라서 우리 모두는 생리 일기를 쓰기로 하자. 그것은 몸의 변화를 상세히 기록 하는 일지 형태가 될 수도 있고, 생리라는 일상적이고도 특 별한 경험을 통과하며 겪는 감정 변화를 적어내리는 일기 형태가 될 수도 있다. 내가 왜 생리를 혐오하게 되었는지, 내 일생의 기억을 추적하는 일이 될 수도 있다. 그것은 공 개적인 블로그나 커뮤니티나 소셜 미디어에 게재될 수도 있고, 책의 형태로 출판될 수도 있고, 혹은 그저 비밀 메모장에만 머물러 있을 수도 있다. 그 어떤 형태가 되었든, 생리의 기록을 써내리는 일은 지금껏 여성에게 주어지지 않았던 몸에 대한 발언권을 되찾는 정치적인 행위이며, 나와 내 옆의 다른 여성들을 변화시킬 수 있는 놀라운 힘을 가진 행위이다.

나는 글쓰기를 통해, 이야기를 통해 이 사회의 생리 터부를, 그리고 여성혐오를 깨부술 수 있다고 믿는다. 생리라는 단어와 여성의 삶에 들러붙은 억압과 혐오의 그림자를 떼어낼 수 있다고 믿는다. 우리는 지긋지긋한 여성혐오를 박살내고 여자를 갈아 세운 남자들의 왕국을 무너뜨릴 것이다. 한 사람의 진솔한 삶이 담긴 이야기는 그 자체로 해방의 씨앗이 된다. 생리는 여성임을 확인받는 가장 직접적인 경험이며 여성만이 체험할 수 있는 독특한 기억이다. 생리를 긍정하지 않고서는, 생리 터부를 작살내지 않고서는 여성해방을 바랄 수 없다. 페미니즘은 결국 기억의 투쟁이자 언어의 투쟁일 것이며, 따라서 나의 모든 기억과 경험을 기록해두는 일은 매우 중요하다.

우리 모두 생리 일기를 쓰자. 우리는 생리 일기를 쓰며 우리의 몸을 진정으로 사랑하게 될 것이다. 그것은 놀라운 힘이다. 지금까지의 사회는 여성이 자신의 몸을 있는 그대로 사랑하도록 허락하지 않았기 때문이다. 여성을 향한 최악의 모욕이 외모 공격이라고 믿는 사회이며 그게 사실이다. 여성에게 요구되는 가장 중요한 조건이 외모인 셈이다. 이런 사회 속에서 자라난 여성이 자신의 몸을 있는 그대로 긍정하고 사랑하게 된다면, 거대한 가부장 체제의 한 축은 이내 무너지게 될 것이다. 나의 생리와 몸을 긍정함으로써 나는 변화할 것이고, 세상을 보는 나의 시각 역시 변하게 될 것이며, 따라서 나의 세상이 변화할 것이다. 그러므로 더 다양한 여성들이 생리에 관해 떠들썩하게 목소리를 내기를 바란다. 우리는 더 크고 시끄럽게 떠들어야만 한다. 우리의 존엄성을 해치고 침묵시키려는 사람들과 맞서 싸워야한다. 나를 진정으로 사랑한다면 그래야만 한다. 나는 여성마다의 다양한 경험이, 다양한 삶의 방식이, 다양한 선택이각자 존중받고 인정받는 사회를 꿈꾼다. 그리고 그 사회는오늘의 나로부터, 그리고 내 옆에서 함께하는 여성들로부터 시작될 것이다.

피 흘리는 우리

심장을 때리는 음악 소리와 코를 찌르는 담배 연기, 눈이 멀 것만 같은 조명, 공격적인 시선과 몸짓들이 낯설고도 당황스러웠다. 익숙지 않은 분위기에 친구와 함께 주위를 두리번거리며 핸드폰만 붙잡고 있길 몇 분째, 결국 사람들 틈에 섞이지 못하고 화장실로 도망쳤다. 위험한 전장에 아무런 안전장치 없이 내던져진 느낌이었던 클럽 속에서, 여자 화장실은 유일한 안전지대였다. 아늑한 동굴 같은 공간에서 수많은 여자들이 화장을 고치거나 옷매무새를 가다듬으며 아무렇지 않게 담소를 주고받고 있었다. 처음에는 모두 서로 아는 사이인 줄 알았지만, 사실은 전혀 모르는 남남이라는 사실을 깨닫기까지는 얼마 걸리지 않았다. 그곳은 단지 여성이라는 이유만으로 모두가 피를 나눈 자매처럼 스스럼없이 대화를 나누고 물건을 공유할 수 있는 공간이었다. 화장실로 대피한 순간부터 나는 마치 어머니의 포궁 속에서 보호받는 것과 같은 따뜻한 안정감과 유대감을 느낄 수 있었다. 술에 취한 여자들이 모르는 여자들을 껴안았고 흥이 잔뜩 오른 여자들은 자신의 립스틱을 그 화장실의 모든 여자들에게 빌려주고 있었다. 언니 너무 예쁘다, 언니 너무 좋아요, 고마워, 사랑해, 이런 말들이 곳곳에서 들렸다. 화장실 앞에 줄을 서 있는데 칸 안에서 생리대가 있냐는 질문이 들려왔다. 그 순간 줄 서 있던 모든 여자들이 앞다투어 일제히 가방을 뒤지기 시작했다. 가장 먼저 생리대를 발견한 누군가가 재빨리 화장실 칸 밑으로 전달해주자 나머지 여자들은 안도했다. 언니, 생리대 있어요? 탐폰 있어요? 이런 질문쯤은 모르는 사이에서도 당연히 가능한 것들이었다. 클럽 화장실이든, 학교 화장실이든, 공중화장실이든, 심지어 길거리에서도 누군가가 나에게 그렇게 물어본다면 나는 최선을 다해 도울 것이다. 그리고 내가 생리대나 탐폰이 필요할 때도 나는 한 치의 의심 없이 모르는 여성들에게 도움을 구할 것이다. 그건 여성들끼리의 불문율 같은 것이다. 클럽에 만연한 여성혐오 문화를 자각한 뒤로는 클럽에 가지 않지만, 그 화장실에서의 기억은 내게 깊게 인 박혀 쉽게 가시지 않았다.

얼마 전 처음으로 생리컵을 사보았다. 생리컵에 대해 무지한 만큼 방대한 양의 정보가 필요했는데, 나는 무작정 부딪혀보는 타입이기 때문에 설명서에 적힌 대로 내 질을 일단 헤집어보았다. 당연히 처음부터 수월히 들어갈 리가 없었다. 생리컵을 삽입하고 빼는 과정에서 혼자 온갖 고생을 하다가, 결국 인터넷에서 정보를 검색해보기로 마음먹었다. 정말 놀랍게도, 내가 고군분투했던 모든 문제들에 대한 답을 인터넷에서 쉽게 찾을 수 있었다. 수많은 여성들이 블로그와 유튜브와 커뮤니티에 자신의 경험을 솔직하고 상세하게 기록해놓고 있었다. 유튜브에서 자신의 얼굴과 신상을 공개한 채 생리컵의 정보를 나누고 자신의 경험을 설명해주는 여성들이 수도 없이 많았다. 맥락 없는 멍청한 악플과 공격 따위가 그들을 막을 수는 없었다. 몇 년 전만 해도 상상할 수 없던 풍경이었다. 생리를 생리라 부르는 것조차 낯설었던 우리에게, 도대체 어떤 변화가 일어난 것일까.

블로그에서, 유튜브에서, 각종 커뮤니티에서, 기사에서 쏟아지는 방대한 여성들의 이야기를 찬찬히 읽어보다 나는 어쩐지 눈물이 날 것만 같았다. 새롭게 탄생한 여성의 언어가 차곡차곡 쌓여가는 역사를 보고 있는 것 같았다. 한 여성이 자신의 이야기를 숨기지 않고 공개하기로 마음먹었을 때 다른 여성들은 진심으로 화답했고, 그렇게 우리의 다채로운 경험이 강력한 힘을 얻어 멈출 수 없이 널리 퍼져나가고 있었다. 앞서 여러 번 말했듯, 페미니즘은 기억의 투쟁이며 언어와 이야기에는 강력한 힘이 있다. 우리는 여성을 지워왔던 세계에 끊임없이 여성의 기억을, 언어를, 이야기를 덧입혀야만 한다. 나만의 경험이라고 믿고 침묵해왔던 이야기를 공공연히 내보일 수 있는 용기가 필요하다. 그 용기는 내가 혼자가 아니라는 사실을 자각할 때 솟아난다. 나는 나를 위해 싸울 것이지만, 각자의 삶을 위해 싸우는 모든 개인들은 결국 서로의 용기가 되어줄 것이다. 내가 세상을 바꿀수 있을까. 이런 고루한 질문은 그만하기로 하자. 내가 나를 바꿀 수 있을까. 그렇다면 어떻게 바꿀 수 있을까. 나는 이제 그 질문만을 하염없이 되새기고 싶다.

여성이 더 이상 스스로를 의심하지 않고 굳게 믿고 사랑하길 바란다고 썼지만, 사실 의심은 필수적이고 유용한 철학적 도구다. 세계에서 당연한 것으로 받아들여졌던 기성의 법칙을 계속해서 의심하고 늘 질문을 던지는 태도는 매우 중요하다. 하지만 지금껏 여자들은 그 의심의 화살을 자기 자신에게만 던졌을 뿐, 그 화살촉을 바깥으로 돌린 적은 없었다. 나는 그 의심의 방향을 조금 틀어도 괜찮다는 이야기를 하는 것이다. 철저하게 자신 자기만을 의심해왔던 우리가, 줄곧 나를 향했던 손가락을 밖으로 돌려봐도 괜찮다고 이야기하는 것이다. 나를 타자화하는 일은 중요하지만, 너무 오래도록 그러기를 강요받아왔던 탓에 자신과 대화하는 법조차 잊어버린 우리가, 이제는 객체의 위치에서 내려와서 그 반대쪽에 서보아도 괜찮다고 이야기하는 것이다. 중요한 것은 내 안에 가득 찬 나를 향한 의심과 질문들이 스스로의 주체적인 판단에 근거한 것인지 혹은 가부장제로부터 주입되어 온 가스라이팅인지 구분할 수 있는가이다. 그것은 나를 둘러싼 세계의 모든 기반을 합리적으로 의심하고 나의 목소리와 타인의 목소리를 구별할 수 있는 능력이다. 여성은 언제나 세계로부터 의심받아온 대상으로 머물렀지만, 동시에 주체적으로 자신을 의심하고 세계를 의심할 수 있는 권력을 가진 인간이기도 하다.

이를테면 이성애 중심 사회에서 살아가는 우리는 사랑이라고 믿고 있는 감정의 실체를 적극적으로 의심해봐야 한다. 이성이어서 우정을 연애 감정으로 착각한 것이 아닌지, 동성이어서 연애 감정을 우정으로 착각한 것이 아닌지 말이다. 내가 믿고 있는 (로맨틱한) 사랑이라는 감정의 실체가 무엇이며, 그것 역시 사회문화적으로 구성되고 주입된 이데올

로기가 아닌지 말이다. 가부장제 속에서 여성은 오래도록 폭력과 가스라이팅을 사랑으로 착각해왔다. 슬프지만 우리는 우리의 모든 욕망과 취향과 가치관과 생각과 언어 습관과 미적 감각과 유머 코드를 의심해볼 필요가 있다. 나 스스로의 욕망인지, 타자(남성)의 욕망이 스스로에게 투사된 것은 아닌지 짚어봐야 한다. 남성의 세계에 발 딛고 서 있는 우리는 모든 규범 속 뿌리박혀 있는 여성혐오를 재검토해보아야 한다. 집요하고 치열한 의심의 과정을 통해 우리는 점차 다른 세계로 이동해갈 것이다. 하지만 나는 이 세계의 모든 것을 의심하더라도 단 한 가지, 나의 가능성은 결코 의심하지 않는다. 나는 그 무엇도 될 수 있고 그 무엇도 되지 않을 수 있다고 믿는다. 그 누구도 나의 한계를 정할 수는 없다.

　나를 믿는다는 것은 무조건적인 지지와는 조금 다르다. 그것은 내가 틀릴 수도 있음을 인정하는 것이며, 그럼에도 더 나아지고 변화할 수 있는 인간임을 믿는 것이다. 나를 사랑한다는 것 역시 무조건적인 애정과는 다르다. 그것은 나르시시즘과는 달라야 한다. 사랑 안에는 애정도 증오도 분노도 슬픔도 고통도 있다. 그것은 나의 치부와 불완전함을 온전히 직시하고 껴안되 더 나은 내가 되기 위해 매섭게 채찍질할 수 있다는 의미다. 자신을 사랑할 줄 안다는 것은 곧

타인을 사랑할 줄 아는 것과 같다. 그런 개개인이 모여 각자의 사랑의 힘으로 결국 가부장제를 무너뜨릴 수 있으리라고 믿는다.

내가 발 딛고 설 수 있는 땅을 다시 세우기 위해서는 무언가는 무너져야만 한다. 그것은 공고하게 쌓아 올려진, 그러나 허점이 가득한 가부장제의 메마른 토양이 될 수도, 내 안의 진득한 여성혐오가 될 수도 있다. 그것이 무너짐과 동시에 우리는 아무런 기반이 없는 여성의 토양을 처음 태어난 손으로 더듬더듬 다져가며, 끝없이 토해지는 질문들을 다른 여성들과 함께 헤쳐나갈 것이다.

생리는 여성 각자의 고유한 경험이다. 그 모든 경험을 존중할 줄 알아야만 나의 삶 역시 존중받을 수 있다. 내가 원하는 세상이란 무엇일지 골똘히 고민해보았는데, 결국 나는 단지 나로서 존중받고 싶을 뿐인 것 같다. 내가 바라는 변화는 개개인이 조금씩 더 너그러워지고 예민해져서 타인의 아픔에 더 민감하게 상처받는 사람들이 되는 것이다. 내가 바라는 나의 변화 역시 그것이다. 내가 타인으로부터 존중받고 또 내가 타인을 존중할 수 있게 되기를 바란다. 진정한 개인주의란 연대와 다른 의미가 아니라고 믿는다. 나를 넘어 뻗어가는 너그러움과 사랑은 결국 나로부터 시작될 것이기 때문이다.

우리는 지금 여성 연대가 가장 중요해진 시점에 도달해 있다. 아무리 멀리 떨어져 있고 세대가 다르더라도 여성에게는 언제나 서로 공유할 만한 기억이 있고 그 중심에는 우리의 피가 있다. 우리는 각자의 생리 경험을 존중하고 응원하고 또 나눌 필요가 있다. 여성 개인의 삶이, 사소한 경험으로 축소되어 왔던 생리 이야기가 모두에게 놀라운 영감을 주고 공감을 불러일으킬 수 있음을 알기 때문이다. 300페이지에 달하는 글을 쓰며 내가 말하고 싶었던 것은 단지 그것이었다. 여성 개인이 가진 서사의 힘, 그리고 그 개인들이 모여 이뤄낼 수 있는 놀라운 연대의 힘. 생리를 긍정하고 내 몸을 긍정하고 나를 사랑하게 된, 아주 사소한 나의 변화가 걷잡을 수 없이 증폭되어 거대한 혁명의 바람을 타고 퍼져나가기를 바라며. 그날을 위해 나의 일기장은 서점으로 옮겨갈 것이며, 우리의 작디작은 담소는 광장으로 이동해 공론화될 것이다. 아무도 듣지 못한 척, 보지 못한 척, 알지 못한 척 삭제해왔던 우리의 작은 목소리는 결국 누구도 무시하지 못할 성대한 울림이 되어 이 세계를 뒤흔들 것이다. 그리고 그 변화는 이미 시작되었다.

지금, 이 순간, 나로부터.

　그러므로, 아무 거리낌 없이 생리대와 탐폰을 건네주는 우리에게. 피 흘리는 우리의 몸을 온전히 마주하자. 피로 결속된 멋진 종족인 우리를 자랑스러워하자. 우리의 다양한 삶을 응원하고 또 기억하자. 우리를 꺾으려는 세력에 함께 맞서 싸우자. 결코 희망을 잃지 말자. 뒤와 옆을 돌아보며, 그러나 앞을 향해 걸어가자. 우리는 혼자가 아니다. 그 확고한 사실만을 되새기며, 나는 오늘 반 보라도 앞으로 나아갈 것이다. 그래, 그거면 됐다.

작가의 말

　오전 아홉 시. 알람이 울린다. 오 분 간격으로 맞춰둔 알람이 다 끝나자 아홉 시 삼십 분에 침대에서 겨우 일어난다. 눈곱을 뗄 틈도 없이 화장실로 직행한다. 거울에 비치는 벗은 내 몸이 사랑스럽다. 짧게 자른 머리는 제멋대로 뻗쳐 있다. 뒤통수에 손을 얹어 문질러본다. 까끌까끌한 느낌이 아직은 생소하다. 나는 평생 긴 머리만 고수해야 하는 사람인 줄 알았는데. 둥근 얼굴형 때문에 단발로 자르기도 무서웠다. 거울 속 시원하게 드러난 얼굴을 바라보며 샤워기를 켠다. 샤워 시간은 십오 분에서 이십 분. 머리를 자른 뒤 샤워 시간이 삼사십 분에서 절반으로 줄었다. 수건으로 대충 머리카락을 털어낸 뒤 얼굴에 로션을 바른다. 그 위에 대충 선스틱을 슥슥 도포하면 끝이다. 오 분 정도 지났을까? 예전에는 화장하는 데에만 한 시간이 걸리곤 했다. 립밤을 바르며 거울 속 나를 향해 씩 웃어본다. 화장으로 가리느라 급급했던, 얼굴 위에 흩뿌려진 여드름 자국은 이제 나의 일부가 되어 없어지면 섭섭할 것 같다. 서랍장을 열어 팬티를 꺼낸다. 벗으면 항상 허리 부분에 띠 자국이 선명하게 남아 있던 작은 여성용 팬티는 갖다버린지 오래다. 널널한 남성용 사각팬티에 다리를 집어넣는다. 입은 듯 안 입은 듯 편안하다. 며칠 이내로 곧 생리를 시작할 것 같으니 집에 구비해둔 생리용품을 모조리 꺼내본다. 조금 비싸지만 확실히 생리통 완화에 도움이 되었던 모 브랜드의 유기농 생리대. 끓는 물에 소독한 뒤 파우치에 보관해두었던 생리컵. 잘 쓰지 않아 아직 남아 있는 탐폰. 밤에 사용할 오버나이트 생리대. 이번 생리 기간 때는 무얼 써볼까? 하나의 생리용품에 아직 완전히 정착하지 못했지만, 굳이 정착할 필요가 있을까 싶다. 일회용 화학 생리대만 쓸 때는 생리용품에 대해 깊게 고민해본 적이 없었다. 그냥 생리할 때의 불편함은 누구나 똑같이 감수해야만 하는 것인 줄 알았다.

이제 여름이라 옷을 입을 때 상의가 무지 신경 쓰인다. 브래지어를 전혀 안 하기 시작한 뒤로 처음 맞는 여름이다. 이제는 너무 답답해서 절대 브래지어를 착용하지 못한다. 흰 티를 입을 때 한 번 브래지어를 다시 하고 나갔다가 가슴이 턱 막히는 느낌을 견딜 수가 없어 밖에서 벗어던진 적도 있었다. 니플 패치도 붙여본 적이 있지만 활동하다 보면 떨어지기가 부지기수였다. 나는 아무것도 입지 않은 채로 적당히 두꺼운 반팔 티셔츠에 얼굴을 끼워 넣는다. 유두 부분이 튀어나와 브래지어를 하지 않은 것이 한눈에 티가 난다. 오늘도 밖에 나가면 엄청난 시선이 쏟아지겠구나. 두렵지만 마음을 단단히 먹는다. 처음에는 나시티를 받쳐 입거나 겉에 꼭 남방 같은 것을 걸치곤 했으나 이제는 너무 더워서 그럴 엄두도 나지 않는다. 브래지어를 하지 않은 채로 밖에 나가면 공포감이 들 정도로 빤히 쳐다보는 나이 든 남자들이 많다. 그들이 아무 해코지도 않고 스쳐 지나갈 때마다 나는 오늘도 운이 좋아 무사했군, 이라는 생각을 한다. 하지만 그들을 피해가거나 내 몸을 가리지는 않는다. 내가 갈 길을 갈 뿐이다. 나를 본 그들은 다음에 브래지어를 입지 않은 또 다른 여성을 마주했을 때 오늘보다는 덜 충격받을 것이다. 그 여성을 위해 나는 오늘도 브래지어 없이 밖으로 나간다. 품이 넉넉하고 통풍이 잘 되는 바지를 꺼내 입는다. 예전에 반바지를 입을 때면 다리털이 신경 쓰여 늘 제모를 꼼꼼히 하곤 했다. 미처 제모를 못해서 아침에 급하게 면도기로 다리털을 밀다 보면 종종 상처가 나기도 했다. 이제는 면도기가 어디 있는지 잘 모른다. 낮은 스포츠용 슬리퍼에 발을 끼워 넣는다. 작은 키가 콤플렉스라 항상 높은 구두만 신었을 때에는 늘 발이 욱신거리고 피곤했다. 그때는 구두의 품질이 문제인 줄 알았는데. 항상 새끼발톱 바깥쪽이 깨져 있길래 내 발볼이 넓은 탓이라고 생각했다. 이제는 내가 생각보다 오래 걸을 수 있는, 체력이 좋은 사람이라는 것을 안다.

일어나서 집 밖으로 나오기까지 삼십 분이 채 걸리지 않는다. 예전 같으면 최소한 한 시간은 잡고 준비해야 했을 테다. 지하철에서 화장을 하지 않으니 시간이 많이 남는다. 가져온 책을 꺼내 읽는다. 화장품이 사라진 가방은 훨씬 가벼워져서 이제 책을 몇 권 넣어도 괜찮다. 역에 멈춰설 때마다 스크린 도어 너머로 번쩍거리며 지나가는 온갖 광고들은 이제 내 관심 밖이다. 나는 화장도 성형도 하지 않을 것이니 내게는 온통 쓸데없는 광고다. 내 몸의 콤플렉스를 더는 감추지 않고 드러내기 시작한 뒤로, 역설적으로 나는 내 몸을 가장 사랑하게 되었다. 나는 많은 것들을 덜어내고 새롭게 가벼워진 마음과 몸을 가지고 내 친구들을 만나러 간다.

이 책을 쓰기로 마음먹은 것은 나 자신의 변화를 위해서이기도 했지만, 무엇보다도 내 친구들에게 들려주고 싶은 이야기였기 때문이다. 또한 이 사회 어디선가, 자신의 몸을 혐오하며 아까운 삶을 손가락 사이로 흘려보내고 있을 무수히 많은 여성들에게 전하고 싶은 말이 너무 많았기 때문이다. 이 거대한 사회에서 내가 할 수 있는 일은 아주 작고 사소해 보일지도 모른다. 하지만 나의 세상은 나만이 바꿀 수 있다. 그리고 나를 바꾸는 이는 오로지 나여야만 한다. 우리에게는 무시무시한 가능성이 잠재되어 있다. 이 사회보다도 훨씬 거대한, 나조차도 두려울 만큼의 잠재력. 그런 우리들의 진솔한 이야기가 차곡차곡 쌓이면 어느 순간, 그 누구도 상상해보지 못했던 세계가 열릴 것이다.

흔쾌히 자신들의 이야기를 나누어준 모든 친구들에게 고개 숙여 감사의 말을 전한다. 그들이 없었다면 이 책은 처음부터 불가능했을 것이다. 페미니즘을 함께 즐겁게 공부하고 있는 〈투쟁하는 암탉〉, 그리고 중앙대학교 국문과 동기들과 후배들을 비롯해 인터뷰에 참여해준 한국과 캐나다와 미국과 네덜란드의 모든 친구들에게 감사드린다. 무엇보다도 지난 n년간 피 흘리며 함께 고생해온 내 몸에게 가장 고맙다.

*

　이 책을 덮고 나면 이제 길고 지루한 싸움이 또 다시 시작될 것이다. 그 곁에 우리 모두가 함께 있다. 당신이 자각했든, 자각하지 못했든, 아직 망설이고 있든, 당신은 페미니스트다. 여성으로 태어났다는 이유만으로 차별받고 싶지 않고 선택의 자유를 누리고 싶고 인간의 존엄성을 존중받고 싶은 마음은 누구에게나 있다. 그러므로 나는 우리의 아프고도 소중한 기억을 간직한 채, 어느 때보다도 치열한 싸움의 현장에 몸소 뛰어들고자 한다. 그곳에 이미 자리를 잡은 이들과 나의 뒤를 따라올 이들을 위해, 그리고 누구보다도 나를 위해, 아주 크고 넓은 목소리를 내려고 한다. 그 첫걸음을 함께 해준 당신에게 감사의 말을 전하고 싶다.

2019년 8월
오윤주

네, 저 생리하는데요?
어느 페미니스트의 생리 일기

초판 1쇄 인쇄 2019년 8월 13일
초판 1쇄 발행 2019년 8월 20일

지은이 오윤주
펴낸이 김선식

경영총괄 김은영
책임편집 최지인 **디자인** 박수연
콘텐츠개발6팀장 백상웅 **콘텐츠개발6팀** 임경섭, 박수연, 최지인
마케팅본부 이주화, 정명찬, 최혜령, 이고은, 권장규, 허윤선, 김은지, 박태준, 배시영, 박지수, 기명리
저작권팀 한승빈, 이시은
경영관리본부 허대우, 박상민, 윤이경, 김민아, 권송이, 김재경, 최완규, 손영은, 이우철, 이정현
외부스태프 일러스트 이다혜

펴낸곳 (주)다산북스 출판등록 2005년 12월 23일 제313-2005-00277호
주소 경기도 파주시 회동길 357 2, 3층

전화 02-702-1724
팩스 02-703-2219 **이메일** dasanbooks@dasanbooks.com
홈페이지 www.dasanbooks.com
블로그 blog.naver.com/dasan_books

ⓒ 2019, 오윤주

ISBN 979-11-306-2556-0 03810